La Croisière de Noël

Mary Higgins Clark
et
Carol Higgins Clark

La Croisière de Noël

Traduit de l'anglais par Anne Damour

ÉDITIONS FRANCE LOISIRS

Édition originale : Santa Cruise a Holiday Mystery at Sea

Édition du Club France Loisirs,
avec l'autorisation des Éditions Albin Michel

Éditions France Loisirs,
123, boulevard de Grenelle, Paris
www.franceloisirs.com

En souvenir de Thomas E. Newton
Un homme merveilleux et notre très cher ami

1

Lundi 19 décembre

Randolph Weed, commodore autoproclamé, se tenait fièrement sur le pont du *Royal Mermaid*, un vieux navire qu'il avait acheté et remis en état à grands frais. Il avait l'intention d'y passer le reste de ses jours en jouant les hôtes pour ses amis et invités payants. À quai dans le port de Miami, le bateau était prêt pour le voyage inaugural, la « Croisière de Noël », un circuit de quatre jours dans les Caraïbes avec une escale dans l'île de Fishbowl.

Dudley Loomis, son chargé de relations publiques, vint le rejoindre sur le pont. Âgé de quarante-quatre ans, il était responsable de l'organisation de la croisière. Il aspira une bouffée de l'air frais qui soufflait de l'Atlantique et poussa un soupir de contentement. « Commodore, j'ai envoyé des e-mails aux plus grandes agences pour les tenir au courant de cette exceptionnelle et merveilleuse première traversée. Voilà comment j'ai tourné mon communiqué : "Le 26 décembre, le Père Noël abandonne son traîneau, donne à Rudolph et aux autres rennes quelques jours de congé et part en croisière. C'est la Croisière de Noël – un cadeau offert par le commodore Randolph

Weed à un groupe choisi de personnalités qui, chacune à sa manière au cours de l'année passée, ont su améliorer le sort d'autrui dans le monde."

— J'ai toujours pris plaisir à faire des cadeaux », dit le Commodore, un sourire éclairant son visage ridé mais encore beau malgré ses soixante-trois ans. « Mais il m'est arrivé de ne pas être compris. Mes trois ex-femmes n'ont jamais su reconnaître l'homme affectueux et profond qu'elles avaient épousé. Rendez-vous compte, j'ai donné à la dernière mes parts de Google avant qu'elles soient introduites en Bourse.

— Une erreur », fit gravement Dudley en secouant la tête. « Une terrible erreur.

— Je ne le regrette pas. J'ai amassé et perdu des fortunes. Maintenant, je veux en faire profiter les autres. Comme vous le savez, cette croisière a été organisée dans le but de lever des fonds au profit d'organisations caritatives et de récompenser ceux qui ont payé de leur personne.

— C'était mon idée, lui rappela Dudley.

— Exact. Mais l'argent pour financer cette croisière sort de ma poche. J'ai dépensé beaucoup plus que je ne m'y attendais pour faire du *Royal Mermaid* le magnifique bateau qu'il est devenu. Mais il le vaut bien. » Il s'interrompit. « En tout cas, je l'espère. »

Dudley Loomis retint sa langue. Tout le monde avait prévenu le Commodore qu'il aurait été beaucoup plus économique de faire construire un bâtiment neuf au lieu d'engloutir une fortune dans ce vieux rafiot. « Mais je dois admettre qu'il a plutôt belle allure », se dit Dudley. Il avait été directeur de croisière sur des paquebots géants, responsable de plusieurs milliers de passagers, dont un bon nombre étaient d'insupportables casse-pieds. Il n'aurait affaire cette fois-ci qu'à quatre cents passagers, dont la plupart se contenteraient sans doute de rester assis sur le pont à lire au lieu d'être gavés de distractions vingt-quatre heures sur vingt-quatre. Dudley avait eu l'idée de la Croisière de Noël lorsque les réservations sur le *Royal Mermaid* étaient au plus bas. C'était un homme de communication jusqu'à la semelle de ses chaussures de bateau.

« Nous devrions organiser une croisière gratuite le lendemain de Noël pour faire le point sur tout ce qui cloche à bord avant l'arrivée des passagers payants et éviter les critiques », avait-il dit à son patron. « Vous ferez cadeau de la traversée aux bonnes œuvres et autres philanthropes. Elle ne durera que quelques jours et, au bout du compte, l'opération sera rentable grâce à la publicité que je me fais fort de vous obtenir. Lorsque notre croisière officielle démarrera le 20 janvier, nous refuserons du monde. Croyez-moi. »

Le Commodore avait eu besoin de quelques minutes pour réfléchir. « Une croisière *totalement* gratuite ?

— Gratuite ! avait insisté Dudley. Rien à payer ! »

Le Commodore avait fait la grimace. « Le bar aussi ?

— Tout ! Des hors-d'œuvre au dessert ! »

Le Commodore avait fini par accepter.

La croisière spéciale débuterait dans une semaine, le lendemain de Noël, et serait de retour à Miami quatre jours plus tard.

Tandis que les deux hommes marchaient le long du pont fraîchement poncé, ils passèrent en revue les derniers détails. « Je ne désespère pas d'avoir au moins une chaîne de télévision à la réception que nous donnerons sur le pont avant l'appareillage, dit Dudley. J'ai fait prévenir les dix Pères Noël que vous avez engagés de se présenter de bonne heure afin de pouvoir essayer les costumes que vous avez fait confectionner à leur intention. Ils devront être prêts à se mêler à la foule lors de la soirée du cocktail. Je bénis encore le jour où j'ai eu cet accrochage avec un Père Noël de Tallahassee le mois dernier. Alors que nous échangions les déclarations d'assurance, il s'est épanché et m'a confié qu'il n'en pouvait plus d'écouter les mômes toute la journée, de se faire prendre en photo avec eux et, pire encore, s'est-il plaint en reniflant, la période de Noël terminée, il se retrouvait épuisé et à nouveau au chômage. C'est alors que m'est venue l'idée lumineuse d'inclure dix Pères Noël parmi les invités...

— Vous n'êtes jamais à court d'idées, reconnut le Commodore. J'espère seulement que nous aurons assez de passagers payants pendant les mois suivants pour garder le bateau à flot.

— Tout ira bien, Commodore, le rassura Dudley de sa voix la plus convaincante de directeur de croisière.

— Vous avez dit que certains de ceux qui avaient gagné cette traversée dans des enchères de bienfaisance ne s'étaient pas encore manifestés. Où en sommes-nous à ce sujet ?

— Ils viennent tous – nous attendons seulement des nouvelles d'une passagère. C'est de loin elle qui a lancé l'enchère la plus haute pour cette croisière. Je lui ai envoyé une lettre par FedEx et, en prime, je lui ai offert les deux dernières cabines afin qu'elle puisse inviter des amis. C'est la personne qu'il faut avoir à bord. Elle a gagné quarante millions de dollars à une loterie, apparaît régulièrement à la télévision et tient une chronique dans un quotidien de grande diffusion. »

Il n'ajouta pas qu'il avait perdu le nom et l'adresse de cette heureuse gagnante des enchères organisées par son ami Cal Sweeney et qu'il venait seulement de les retrouver. Il avait failli s'évanouir en réalisant qu'Alvirah Meehan était non seulement une célébrité, mais une journaliste.

« Épatant, Dudley, épatant. Pour ma part, je ne verrais aucun inconvénient à gagner à la loterie ! En réalité, j'aurais peut-être besoin...

— Bonjour, oncle Randolph. »

Ils n'avaient pas entendu Éric, le neveu du Commodore, s'approcher d'eux.

Une véritable anguille, pensa Dudley en se retournant pour accueillir le nouveau venu. Je suis sûr qu'il ferait un parfait voleur à la tire.

« Bonjour, mon garçon », dit le Commodore à son neveu, l'air soudain rayonnant.

Le sourire chaleureux d'Éric Manchester, trente-deux ans, était réservé au Commodore et aux personnages importants, nota Dudley. Avec son hâle parfait, ses cheveux blondis par le soleil, son corps musclé, le jeune homme partageait visiblement son temps entre la plage et le gymnase. Il portait une chemise à fleurs Tommy Bahama, un short kaki et des chaussures de bateau. Sa seule vue rendait Dudley malade. Il savait que, lorsque les passagers monteraient à bord, Éric serait vêtu en officier de marine, même si personne ne savait quel commandement il était censé exercer.

« Que ne suis-je né beau et doté d'un oncle riche », songea-t-il avec amertume.

« Je vais faire un tour en ville, monsieur », dit Éric au Commodore, ignorant totalement Dudley. « Vous n'avez besoin de rien ?

— Je vous laisse bavarder tous les deux », dit Dudley, préférant ne pas assister au spectacle ridicule donné par Éric lorsqu'il prétendait pouvoir se rendre utile au Commodore, au *Royal Mermaid* ou à la Croisière de Noël.

Éric avait su se faire inscrire sur la liste du personnel de bord dès que son oncle avait acheté le bateau.

Le Commodore sourit au fils de sa sœur. « J'ai tout ce qu'il me faut, lui dit-il plein d'entrain. T'es-tu bien amusé hier soir ? »

Éric songea au paquet de fric qu'il avait récolté au cours de cette soirée, un acompte versé en contrepartie du danger et du risque que représenterait cette croisière – mais si profitable pour lui. « C'était super, oncle Randolph, dit-il. J'ai vanté auprès de tout le monde notre croisière et la générosité avec laquelle tu contribuais à lever des fonds pour des organisations caritatives. Ils auraient tous voulu nous accompagner. »

Le Commodore lui donna une tape dans le dos. « Bon travail, Éric. Fais-nous connaître autour de toi. Que les gens s'inscrivent pour nos croisières. »

« C'est ce que j'ai fait, pensa Éric, mais tu n'as aucune idée de qui sont ces gens… » Un léger frisson le parcourut, pourtant il ne put retenir un sourire en pensant à l'ironie de la situation.

Les invités d'Éric seraient les deux seuls passagers payants de la Croisière de Noël.

2

Vendredi 23 décembre

À dix-neuf heures le 23 décembre, quelques flocons de neige tombaient sur New York tandis que les acheteurs de dernière minute et les dîneurs se pressaient dans les rues de Manhattan. Dans la salle joyeusement décorée du grill-room du *Four Seasons*, sur la 52ᵉ Rue, au coin de Park Avenue, Alvirah et Willy Meehan et leurs bons amis, l'auteur de romans policiers Nora Regan Reilly et son mari Luke, directeur de plusieurs salons funéraires, dégustaient un verre de vin. Ils attendaient l'arrivée de la fille unique de Nora et de Luke, Regan, et de son mari, Jack, qui, étrangement, portait également le nom de Reilly.

Les deux couples s'étaient connus deux ans auparavant, lorsque Luke avait été kidnappé par l'héritier furibard de l'un de ses clients décédés. Alvirah était une ancienne femme de ménage qui avait gagné quarante millions de dollars à la loterie et était devenue détective amateur. Elle avait proposé son aide à Regan dans l'enquête échevelée qui avait permis de sauver Luke. Au cours de cette enquête, Regan avait fait la connaissance de Jack, qui était chef de la Brigade des affaires spéciales de la police de Manhattan et ils étaient tombés amoureux. Comme le faisait remarquer Luke ironiquement : « À quelque chose malheur est bon. »

À présent, Alvirah, son ample personne élégamment habillée d'un tailleur du soir bleu marine, mourait d'impatience d'annoncer aux quatre Reilly le projet qu'elle avait en tête, tout en se demandant comment présenter les choses afin qu'ils ne puissent refuser son invitation.

Willy, son mari depuis quarante-trois ans, qui, avec ses cheveux blancs, son visage typiquement irlandais et sa carrure imposante, était le portrait vivant de Tip O'Neill, le légendaire président de la Chambre des représentants, ne lui avait été d'aucune aide pendant le trajet en taxi depuis leur appartement de Central Park South.

« Mon chou, avait-il dit. Tu n'as qu'à les inviter, un point c'est tout. Ils diront oui ou non. »

Alvirah regardait maintenant son amie Nora assise en face d'elle, sa silhouette menue vêtue d'une robe noire d'une parfaite simplicité, que dominait Luke et son mètre quatre-vingt-douze, le bras négligemment posé sur le dossier de la chaise de son épouse. « Nos voyages ensemble ont toujours été amusants et excitants », pensa-t-elle, puis elle se rendit compte que sa notion personnelle de l'amusement impliquait peut-être un peu trop d'agitation à leur goût.

« Oh, les voilà ! » s'exclama Nora en voyant Regan et Jack monter l'escalier, puis les repérer et faire un signe de la main avant de se diriger vers leur table.

Alvirah soupira de plaisir. Elle aimait beaucoup ce jeune couple. Regan avait les yeux bleus et le teint clair de sa mère, mais mesurait dix centimètres de

17

plus qu'elle et avait hérité ses cheveux noirs du côté paternel ; Jack, de haute taille, les cheveux blonds, les yeux noisette et une mâchoire volontaire, avait un air d'assurance tranquille qui lui avait donné, dès le premier moment, la certitude qu'il était l'homme idéal pour Regan.

Il s'excusa de les avoir fait attendre. « Quelques détails de dernière minute à régler au bureau, mais cela aurait pu être pire. Je suis heureux d'annoncer qu'à partir d'aujourd'hui, et pour les deux semaines à venir, Regan Reilly-Reilly et moi avons largué les amarres. »

C'était l'occasion ou jamais pour Alvirah. Elle attendit que le sommelier ait servi les nouveaux arrivants, puis leva son verre pour porter un toast. « À de futures merveilleuses vacances ensemble, dit-elle. J'ai une surprise formidable pour vous quatre, mais d'abord promettez-moi de dire "oui". »

Luke parut inquiet. « Alvirah, vous connaissant, je ne peux faire une promesse pareille sans avoir un peu plus de précisions.

— Je vous comprends, convint Willy. Voilà ce dont il s'agit. Nous avons été embringués dans une de ces enchères à but caritatif. Je n'ai pas besoin de vous faire un dessin. Vous savez comment ça se passe. Après le dîner, une fois que la vente a commencé, je me suis dit que les ennuis allaient nous tomber dessus. Alvirah avait ce regard...

— Willy, c'était pour la bonne cause, protesta Alvirah.

— Toutes ces ventes sont pour la bonne cause. Depuis que nous avons gagné à la loterie, nous sommes sur la liste de toutes les bonnes causes connues.

— C'est vrai, reconnut Alvirah en riant. Mais j'ai assisté à celle-ci parce qu'elle était organisée par le fils de Mme Sweeney, Cal. C'est la femme pour laquelle je faisais des ménages tous les mardis. Cal est administrateur de l'hôpital local et ils ont besoin d'aide. Quoi qu'il en soit, je me suis laissé emporter, je l'admets volontiers, et j'ai gagné une croisière aux Caraïbes pour deux. Je n'en avais jamais entendu parler et ne m'étais pas rendu compte que c'était une croisière de Noël. L'année a été si folle que, pour être franche, j'avais tout oublié de cette histoire jusqu'à cet après-midi quand une enveloppe de FedEx est arrivée, envoyée par le directeur de la croisière. Il y avait eu une erreur et la croisière que j'ai gagnée a lieu la semaine prochaine. Elle débute le 26 décembre et se termine le 30.

— Dans trois jours ! C'est incroyablement court, dit Jack. Avez-vous l'intention d'y aller ? Sinon, vous pouvez probablement vous faire inscrire sur une autre croisière. C'est leur faute si vous n'avez pas été prévenue suffisamment à temps.

— Mais c'est une traversée très spéciale, expliqua Alvirah avec vivacité. Ils l'ont baptisée la Croisière de Noël. Tous les invités sont des personnes qui se sont fait remarquer au cours de l'année pour leur générosité envers des œuvres caritatives.

— Vous voulez dire que personne *ne paye* ? » demanda Luke d'un ton incrédule tout en prenant le menu que lui tendait le maître d'hôtel. « Cette compagnie doit rouler sur l'or.

— J'ai la brochure avec une quantité de photos et toutes les informations », dit Alvirah, plongeant la main dans son sac. « Le bateau semble magnifique. Il est tout neuf. Enfin, *presque* neuf – il a été rénové de la proue à la poupe. Croyez-le si vous voulez, il a même une aire d'atterrissage pour hélicoptères et une paroi d'escalade, exactement comme les grands paquebots modernes. Mais voici le plus intéressant : le directeur de la croisière est tellement désolé du cafouillage dont nous avons été victimes qu'il veut que nous invitions quatre de nos amis, à titre de compensation, qui seront logés dans deux cabines de luxe avec balcon – comme la nôtre. »

Elle adressa un sourire rayonnant aux membres de la famille Reilly. « J'aimerais que vous participiez tous les quatre à cette croisière de Noël.

— Mais c'est impossible », protesta vivement Nora, secouant la tête avec un regard vers Luke pour lui demander son soutien.

« Eh bien... euh, nous pensions vraiment nous reposer la semaine prochaine... », commença Luke en s'éclaircissant la gorge, s'évertuant à trouver une meilleure excuse.

« Comment mieux se reposer que pendant une croisière ? insista Alvirah. Réfléchissez-y. Nora et vous avez prévu de partir dans le sud de la France après le premier de l'an. Regan, je sais que vous et Jack allez skier avec des amis à Lake Tahoe pour le nouvel an. Que pourriez-vous trouver de mieux pour les quatre jours suivant Noël qu'une croisière dans les Caraïbes ? »

C'était une question de pure forme.

« Regan, continua Alvirah, Jack vient d'annoncer qu'il était en vacances pendant deux semaines. Qu'avez-vous prévu de faire le lendemain de Noël et les quatre jours suivants ?

— Absolument rien, dit Regan rapidement. Jack, nous n'avons jamais fait de croisière ensemble. Je crois que cela pourrait être amusant.

— La météo pour la région de New York annonce la semaine prochaine un froid "allant de l'intense au glacial, ou l'inverse, suivant ce qui est le plus froid" », dit Willy d'un ton encourageant. Il savait que dans les deux heures qui avaient suivi l'arrivée de l'invitation, Alvirah avait irrévocablement décidé d'emmener les Reilly en croisière. « Nous louerons un avion privé pour nous amener à Miami le 26 », ajouta-t-il, espérant qu'Alvirah n'allait pas dire que c'était la première fois qu'elle entendait parler de ce plan. « Pensez-y. Un beau bateau. Des passagers charmants. Nager dans une piscine en plein air au mois de décembre. Rester tranquillement sur le pont à lire. Je parie qu'une quantité de gens liront vos livres, Nora. Qu'en dites-vous ?

— Ça semble trop beau pour être vrai », dit Nora sans plus hésiter, puis elle ajouta : « Je reconnais que nous avons toujours vécu des moments formidables avec vous, mes amis, et j'aurais beaucoup de plaisir à passer quelques jours agréables avec ma fille et mon gendre. »

Alvirah eut un sourire triomphant. Elle était à présent pratiquement certaine que les Reilly allaient les accompagner. Nora et Regan étaient tout excitées à cette idée et Luke et Jack suivraient le mouvement en temps voulu. Tandis qu'ils portaient un toast à la

Croisière de Noël, Alvirah se félicita de n'avoir pas révélé que la veille, à une autre réunion de bienfaisance, une voyante engagée pour appâter les donateurs lui avait tiré les cartes. Après les avoir toutes retournées lentement, la femme avait écarquillé les yeux, l'air ébahi. « *Je vois une baignoire*, avait-elle chuchoté. *Une grande baignoire. Vous n'y êtes pas en sécurité. Écoutez-moi. Votre corps ne doit pas être entouré d'eau. Jusqu'au premier de l'an, vous devez uniquement prendre des douches.* »

3

Dimanche 25 décembre

Sous le couvert de l'obscurité, tard dans la nuit de Noël, une barque glissait lentement dans le port de Miami le long du *Royal Mermaid*. Une échelle de corde fut lâchée du pont inférieur.

« Passe en premier », grogna Tony Pinto, surnommé Bille en Tête, en s'emparant de l'échelle qu'il tendit à son compère, comme lui un malfaiteur évadé.

« Il faut s'assurer que la corde est bien fixée avant de se lancer », dit Barron Highbridge d'une voix glaciale.

En équilibre instable, il leva un pied, éprouva l'échelle et commença à grimper.

« Dépêchez-vous », les pressa une voix au-dessus d'eux.

Larry la Limace, à la barre de la barque, tendit une grosse main épaisse à Tony Bille en Tête. « Vous en faites pas, patron. Nous vous attendrons en vue de Fishbowl Island. Nous vous débarquerons à terre, et là vous serez libre à nouveau. Maintenant, tâchez de profiter de cette croisière.

— Profiter ? Planqué dans une cabine avec ce crétin de Highbridge pendant trois jours ? Je t'avais dit que je ne voulais pas partir en cavale avec un autre type.

— Ç'a été un coup de bol de trouver cette combine, protesta Larry. Cet idiot de commodore Weed devrait savoir quel fumier il a pour neveu ! Une chance pour nous cependant. Dès que les flics découvriront que votre femme porte votre bracelet émetteur à la cheville, ils passeront le pays entier au peigne fin pour vous retrouver.

— Sûr que le neveu est un salopard – il a eu le culot de me réclamer deux millions de dollars pour un séjour de trois nuits.

— Il voulait davantage, lui rappela Larry. J'ai vraiment marchandé avec lui. »

Tony leva les yeux. Dans l'obscurité, il vit Highbridge se hisser sans effort jusqu'au pont et saisir la main qui lui était tendue. Son cœur battit plus vite. Il se leva, agrippa l'échelle et plaça le pied sur le premier échelon. « Joyeux Noël », murmura-t-il amèrement en se tournant vers Larry. « Si tu veux me faire un cadeau, trouve où les fédéraux ont caché cette ordure qui m'a donné et fous-lui une raclée. »

Larry hocha la tête.

« Ce serait un cadeau sympa », renchérit Tony.

D'en haut, transpirant à grosses gouttes, Éric regarda Tony Bille en Tête commencer à monter l'échelle. Éric avait été prévenu par Larry la Limace que si quelque chose tournait mal et que Tony se retrouvait en taule, lui-même irait nager avec les poissons. Soudain, Éric vit avec effroi le pistolet de Bille en Tête glisser de sa poche et tomber dans l'eau. Au moins, ce n'est pas ma faute, pensa-t-il.

Pour deux millions de dollars, un million pour chaque passager clandestin, Éric avait accepté de courir le risque.

À présent, tandis que Tony se rapprochait, saisissait le bastingage, le visage rouge de fureur, puis hissait son corps volumineux sur le pont, Éric se rendait compte qu'il avait peut-être eu les yeux plus grands que le ventre. L'autre type, il savait qu'il pouvait le manipuler. « J'aurais dû m'en tenir aux criminels en col blanc », pensa-t-il, s'efforçant d'avoir l'air maître de la situation tandis qu'il chuchotait d'un ton qu'il espérait autoritaire : « Suivez-moi. » Il n'eut pas à les prévenir de garder le silence. La plus grande partie de l'équipage était déjà à bord pour préparer le voyage inaugural, mais il était tard et le bateau était silencieux.

Portant sweat-shirts à capuche et lunettes noires, les deux évadés suivirent Éric jusqu'à un escalier de service conduisant au pont promenade. Éric jeta un coup d'œil dans le couloir recouvert de moquette. Le chemin était libre. Il leur fit signe d'avancer. Alors qu'ils passaient devant la porte du Commodore, quelque chose glissa du sweat-shirt de Highbridge et tomba sur le sol. Bien que la moquette fût épaisse, on entendit distinctement un bruit sourd.

« Oh ! bon sang ! mon nécessaire de toilette », chuchota Highbridge qui faillit glisser en se penchant pour ramasser la mallette de cuir. Dans sa tentative pour reprendre son équilibre, il se heurta à la porte du Commodore, manquant de justesse la sonnette en forme de sirène.

Éric crut que son cœur allait s'arrêter. Son oncle était insomniaque et passait une grande partie de la nuit à lire. Il parcourut rapidement le couloir, les autres sur ses talons, s'arrêta devant sa cabine et, les mains tremblantes, introduisit la clef dans la serrure. La lumière verte s'alluma, la serrure électronique émit un bip-bip joyeux et la porte s'ouvrit. Les deux criminels s'engouffrèrent à sa suite dans la pièce. Éric referma la porte derrière lui et donna deux tours de clef.

Les rideaux du balcon avaient été tirés pour la nuit par le steward. Un bonbon à la menthe était posé sur l'oreiller d'Éric. Tony s'avança d'un pas lourd et se laissa tomber sur le canapé tandis que Highbridge lâchait en soupirant son nécessaire de toilette sur le lit.

« Charmants compagnons de voyage », pensa Éric. Tony, malfrat des rues devenu un dangereux caïd, et Highbridge, né avec une cuiller d'argent dans la bouche, qui dépossédait les autres de leur argent juste pour le plaisir. Tous deux avaient passé la quarantaine. Tony, plutôt petit mais bâti comme une armoire à glace, le cheveu rare, un visage qui semblait avoir difficilement tenu quelques rounds dans un championnat de boxe, et Highbridge, brun, grand et maigre, des traits burinés mais aristocratiques, et une expression de dédain avec laquelle il était probablement né.

Un coup frappé à la porte déclencha une onde de choc à travers la pièce. Éric montra la penderie. Tony et Highbridge se précipitèrent et disparurent à l'intérieur.

« Éric, tu es là ? » appela le commodore Randolph Weed depuis le couloir.

Pour faire croire qu'il était sur le point de se déshabiller, Éric alluma la lumière de la salle de bains et décrocha sa robe de chambre. Le vêtement sur le bras, il ouvrit la porte. Oncle Randolph offrait un spectacle remarquable dans son pyjama bleu et blanc sur mesure orné d'un voilier brodé sur le revers de la veste. Éric salua son oncle, s'efforçant de paraître endormi : « B'soir.

— Tu ne vois pas d'inconvénient à ce que j'entre ? » demanda le Commodore d'un ton attendri.

Éric n'avait d'autre choix que d'ouvrir la porte en grand.

Le Commodore pénétra dans la cabine. « J'ai entendu quelque chose heurter ma porte. Je me suis précipité dans le couloir juste au moment où tu refermais la tienne. Je suppose que tu n'arrives pas plus à dormir que moi, hein ? »

Un long passé de combinaisons louches avait appris très tôt à Éric qu'il valait mieux se tenir le plus près possible de la vérité. « Je suis allé faire un tour sur le pont. Trop excité par notre Croisière de Noël. Puis je me suis rendu compte que j'étais vanné. Je pense que j'ai dû heurter ta porte sans le vouloir. » Il bâilla, puis regarda avec horreur le Commodore prendre le nécessaire de toilette de Highbridge sur le lit et s'asseoir à l'endroit où la marque récente des formes généreuses de Tony était encore empreinte.

« Beau nécessaire. Je ne crois pas te l'avoir vu auparavant.

— Je l'ai depuis un moment », répondit vaguement Éric, et il bâilla délibérément à nouveau.

27

« Je ne vais pas m'éterniser », dit Randolph d'un ton qui suggérait le contraire.

Cela rappela à Éric un intarissable orateur de la cérémonie de remise des diplômes au lycée qui avait passé son premier quart d'heure sur le podium à marmonner : « Maintenant, avant d'entrer dans le vif du sujet, je voudrais mentionner... »

« Tu peux rester aussi longtemps que tu le désires, dit Éric, sans enthousiasme.

— L'insomnie, commença Randolph. Le côté positif, c'est que ça te donne le temps de lire. Le négatif, c'est que ça te laisse trop de temps pour penser. Ce soir, je songeais à tous les Noëls que nous avons passés ensemble quand tu étais petit. » Il rit. « Tu étais une vraie terreur. Ta mère a failli mourir quand elle s'est rendu compte que tu avais fait les poches de tous ses invités lors d'une réception de Noël. » Il rit à nouveau. « Mais c'était il y a longtemps. » Il regarda autour de lui. « Je suis content que ces cabines de luxe soient aussi réussies. C'est agréable d'avoir un canapé et deux chaises, sans parler du balcon. La penderie est assez grande, n'est-ce pas ? Le rêve pour une femme. » Il se leva. « Demain est un grand jour. Nous ferions mieux de prendre un peu de repos.

— Oncle Randolph, j'aimerais te remercier de me faire participer à cette grande aventure dont tu es l'instigateur.

— Rien ne vaut les liens du sang, mon garçon », déclara le Commodore en tapotant l'épaule de son neveu, puis il traversa la pièce.

La porte de la penderie se trouvait à droite de l'entrée de la cabine. Par erreur, il y posa la main et commença à tourner la poignée.

Éric s'élança et étreignit son oncle. Le Commodore lâcha la poignée, pivota sur lui-même et serra longuement son neveu contre lui. « Je n'aurais jamais cru que tu étais un garçon sentimental », dit-il d'une voix étouffée. « À dire vrai, je pensais que tu étais plutôt du genre réservé.

— Je t'aime, oncle Randolph. »

À présent, Éric était si nerveux que sa voix tremblait. Son oncle pensa qu'il était visiblement sur le point de fondre en larmes.

« Je t'aime aussi, Éric, dit-il doucement. Plus que tu ne l'as jamais su. Ce sera un beau voyage pour nous deux. Pour notre relation. Maintenant, allons dormir un peu. »

Éric hocha la tête, ouvrit rapidement la porte de la cabine et laissa passer son oncle. Il s'avança d'un pas dans le couloir et regarda disparaître la silhouette en pyjama. Il ferma la porte à double tour et ouvrit la penderie.

« J'ai besoin d'un mouchoir », murmura Bille en Tête, puis il psalmodia : « Je t'aime, oncle Randolph.

— J'ai fait ce qu'il fallait, répliqua Éric avec impatience. Il y a un grand lit et un canapé convertible. Comment voulez-vous qu'on s'arrange ?

— Je prends le lit, décréta Tony. Vous pouvez vous partager le canapé. »

Barron était sur le point de protester, mais l'expression mauvaise de Tony le fit immédiatement changer d'avis.

Éric passa la nuit à se tourner et se retourner dans la chaise longue sur le balcon.

4

Lundi 26 décembre

Par un lendemain de Noël glacial, Alvirah, Willy, Regan, Jack, Nora et Luke se retrouvèrent à l'aéroport de Teterboro, prêts à embarquer dans l'avion privé que Willy avait loué pour les emmener, via Miami, au départ de leur Croisière de Noël. En chemin, ils racontèrent comment ils avaient passé les fêtes. Les quatre Reilly étaient allés rendre visite aux parents de Jack à Bedford, chez qui ses six frères et sœurs et leurs familles s'étaient rassemblés pour la fin de l'année.

« Nous sommes deux enfants uniques avec un enfant unique, s'émerveilla Nora. Quelle merveille de fêter Noël entourés de tant de monde. La famille de Jack est vraiment composée de gens plus délicieux les uns que les autres. »

Jack haussa les sourcils et sourit. « Je vous assure, ils se sont tous tenus à carreau. Et vous deux, qu'avez-vous fait, Alvirah ?

— Nous avons passé une superbe journée, répondit-elle avec enthousiasme. Nous sommes allés à la messe de minuit, avons fait la grasse matinée, puis nous sommes allés dîner dans un très bon restaurant de l'Upper West Side avec sœur Cordelia. C'est la seule des sœurs de Willy qui habite par ici. Nous l'avons emmenée, avec cinq ou six autres religieuses, plus quelques personnes de sa connaissance qui n'ont pas beaucoup de famille. Nous étions trente-huit et ç'a été vraiment formidable.

— *Trente-huit* ? s'exclama Jack. C'est plus que chez ma mère.

— Eh bien, cela n'aurait pas été leur fête si j'avais dû cuisiner pour eux, dit Alvirah. Nous avions une salle pour nous seuls et avons fini par chanter des cantiques de Noël.

— Heureusement que nous avions cette pièce, l'interrompit Willy. L'année prochaine, sœur Cordelia veut organiser un karaoké. »

Alvirah se pencha vers Regan. « Vous avez un collier magnifique », dit-elle avec admiration. « Je parie que c'est le cadeau de Noël que vous a offert Jack.

— Alvirah, dès que vous aurez envie de travailler pour mon bureau, venez me voir », dit Jack avec un sourire. « Ce collier est en fait la reproduction en miniature des armoiries des Reilly.

— Avec en plus une chaîne en or sertie de diamants, dit Alvirah. Je l'adore.

— Rien n'est trop beau pour une Reilly-Reilly », dit Jack.

Lorsqu'ils arrivèrent à Miami, le soleil brillait et l'air était chaud.

« Alléluia », dit Luke en descendant de l'avion. « Il fait un temps magnifique. Ces derniers jours j'ai cru que j'allais être transformé en glaçon. »

31

La limousine qu'Alvirah avait réservée les attendait à la sortie du terminal.

« Nous avons largement le temps d'arriver au bateau, dit-elle. Pourquoi n'irions-nous pas faire un bon déjeuner chez *Joe Stone Crab* ? Si nous nous présentons vers trois heures à bord, ce sera juste l'heure de l'enregistrement.

— Alvirah, l'embarquement commence à treize heures, objecta Willy.

— Et il dure jusqu'à seize heures. Laissons les gens pressés s'installer, ensuite, il n'y aura plus personne dans la queue et nous n'aurons pas à attendre.

« Tout se déroule exactement comme prévu », pensa Alvirah avec satisfaction, tandis que la limousine les déposait au quai où le *Royal Mermaid* se remplissait des « Bienfaiteurs » de l'année. Ils sortirent de la voiture et, tandis que le chauffeur déchargeait leurs bagages, ils contemplèrent le bateau. Une énorme couronne de Noël avec les mots CROISIÈRE DE NOËL en son centre était suspendue à l'étrave.

« Je m'attendais à ce qu'il soit un peu plus grand, dit Willy. Mais sans doute pensais-je à ces bateaux de croisière qui transportent des milliers de passagers.

— Il est absolument superbe ! s'exclama Nora.

— D'après la brochure, le *Royal Mermaid* peut accueillir quatre cents passagers », fit remarquer Alvirah. Elle agita énergiquement la main. « C'est bien assez. »

Un portier poussant un chariot vint à leur rencontre. « Entrez dans la gare maritime, dit-il. Je m'occupe de vos bagages. »

Les trois hommes sortirent leur portefeuille. « C'est pour moi », dit Luke d'un ton ferme.

Ils pénétrèrent dans la gare où deux contrôles de sécurité étaient mis en place.

« J'espère seulement qu'ils ne vont pas m'obliger à enlever les épingles de mes cheveux, murmura Nora. Ils l'ont fait à Kennedy Airport lorsque nous sommes allés à Londres. J'avais l'air d'une souillon lorsque je suis montée dans l'avion. »

Mais leur groupe franchit la sécurité rapidement et sans problème. Ils parcoururent un corridor jusqu'à la zone de départ où une file d'employés attendaient d'enregistrer les invités. Il était évident que la plupart des autres passagers étaient déjà à bord. Il n'y avait personne à aucun comptoir. Trois hommes en blazer bleu, chaussures blanches et casquette à galons dorés venaient juste d'émerger de la passerelle d'embarquement. Le plus âgé les aperçut et se précipita vers eux.

« Bienvenue à bord ! Bienvenue ! Laquelle parmi vous est Alvirah Meehan ? demanda-t-il. Nous avions tellement peur que vous ayez changé d'avis et renoncé à vous joindre à nous. C'eût été une véritable déception.

— Une grande déception en effet, reprit l'un des hommes.

— C'est moi Alvirah. Voici mon mari, Willy, et nos amis... »

Elle fit rapidement les présentations.

33

« Je me présente, Randolph Weed, votre hôte. Mais mes amis m'appellent Commodore, ce qui n'est pas pour me déplaire. Et voici mon neveu, Éric Manchester, et mon directeur de croisière, Dudley Loomis. Allez vous faire enregistrer et montez à bord. Le cocktail de bienvenue commence dans vingt minutes. Nous prendrons la mer à seize heures.

— À seize heures ? dit Alvirah. Mes informations disent dix-huit. Je les ai là... »

Dudley prit les devants. Il n'avait pas envie de voir sa signature sur la lettre qu'elle s'apprêtait à sortir. Il était éreinté quand il la lui avait écrite. « Venez, nous allons vous faire enregistrer », les pressa-t-il. Et il les conduisit vers le comptoir où six employés attendaient. L'un d'eux se chargea de Luke et de Nora, un autre de Jack et de Regan. Le Commodore et son neveu s'empressèrent auprès d'Alvirah et de Willy.

« Nous allons passer des moments épatants, dit le Commodore. Des gens passionnants réunis en pleine mer pendant quatre jours. Je vous promets que vous allez profiter de chaque minute... »

L'employée prit les noms d'Alvirah et de Willy et les inscrivit dans l'ordinateur. Elle fronça les sourcils et se mit à pianoter sur les touches. « Oh, par exemple », dit-elle.

« Impossible qu'il y ait un problème, pensa Dudley. C'est tout simplement hors de question. »

« Je ne comprends pas comment cela a pu arriver, poursuivit l'employée.

— Quoi donc ? » demanda Dudley, s'efforçant de garder le sourire tandis que le visage du Commodore se rembrunissait.

« La cabine retenue pour M. et Mme Meehan est déjà prise. Et toutes les autres sans exception sont occupées. » Elle leva les yeux vers le Commodore, Dudley et Éric. « Qu'allons-nous faire ?

« Il n'y a pas d'autre cabine ? » demanda le Commodore, jetant un regard noir à Dudley. « Comment une chose pareille a-t-elle pu se produire ? »

Je dois avoir mal compté, pensa Dudley. J'aurais dû leur offrir d'amener seulement un autre couple.

« Alvirah, dit Regan, Jack et moi nous passerons deux jours à Miami et puis nous prendrons l'avion pour le Colorado. Cela nous est égal.

— Il n'en est pas question ! aboya le Commodore. Sûrement pas. Il reste une des cabines les plus luxueuses du bateau que les Meehan trouveront sûrement à leur goût. Elle est voisine de la mienne. » Il regarda Éric. « Mon neveu sera heureux de passer cette croisière dans la chambre d'amis de ma suite. N'est-ce pas Éric ? »

Éric sentit le sang quitter son visage. Il n'avait qu'une seule réponse à donner. « Bien sûr.

— Je vais faire apporter vos bagages immédiatement », dit Dudley.

Toujours nerveux d'avoir commis cette erreur, il éprouvait néanmoins un plaisir extrême à contrarier Éric.

« Éric, je suis désolée de vous forcer à déménager, dit Alvirah. Prenez votre temps pour rassembler vos affaires. Nous allons nous rendre d'abord au cocktail prendre un verre jusqu'à ce qu'on largue les amarres. Ensuite, nous serons ravis de nous installer. »

35

Éric parvint à sourire : « Je préfère y aller maintenant afin qu'on puisse préparer la cabine. Je vous verrai tout à l'heure. » Il tourna les talons et, comme une fusée, monta la passerelle.

« Votre neveu est vraiment un homme charmant », dit Alvirah au Commodore.

5

Le cocktail de bienvenue à bord du *Royal Mermaid* avait battu son plein pendant plus d'une heure. La plus grande partie des quatre cents invités avaient pris une seconde coupe de champagne, certains en avaient bu trois, quelques-uns davantage. « On les repère facilement », pensa Ted Cannon en reposant sa coupe intacte. L'orchestre avait joué sans arrêt des airs de Noël. Ils entamaient *Santa Claus Is Comin' to Town* pour au moins la quatrième fois. « Je me sens seul ici », songea-t-il tristement. Pendant quinze ans, il avait joué le rôle de Père Noël dans les hôpitaux et les maisons de retraite de Cleveland. Une bonne action à laquelle l'avait incité sa femme, Joan, à présent décédée. Elle était partie depuis plus de deux ans, désormais mais, en souvenir d'elle, il avait continué. Puis quelqu'un avait mis son nom dans la liste du tirage au sort des Pères Noël de la croisière, et il avait fait partie des gagnants. Il n'en revenait toujours pas.

Ted fermait toujours son bureau de comptable à Cleveland pendant la semaine suivant Noël. Autrefois, Joan et lui avaient l'habitude de partir en vacances après avoir passé Noël avec leur fils Bill et sa famille. Ted se trouvait chez eux quelques jours auparavant. Lorsqu'il avait gagné la croisière, ils l'avaient pressé d'accepter.

« Papa, maman aurait voulu te voir sortir et te distraire un peu. Avec neuf autres Pères Noël à bord, tu auras des gens à qui parler. Et s'il y a quelques dames solitaires, invites-en une à danser. Tu n'as que cinquante-huit ans, et tu n'as pas regardé une seule femme depuis la mort de maman. »

Mais aujourd'hui, debout au milieu de tous ces étrangers, Ted se sentait malheureux et abandonné. Il se demanda s'il était trop tard pour prendre ses bagages et quitter le bateau. Il haussa les épaules. « Et que ferais-je ensuite ? »

« Allez, secoue-toi », se dit-il, et il porta sa coupe de champagne à ses lèvres.

Ivy Pickering venait de lire la liste des invités et était excitée comme une puce à la pensée qu'Alvirah Meehan, Regan Reilly et Nora Regan Reilly se trouveraient à bord. Une coupe de champagne à la main, elle s'était placée de façon à les voir arriver à la réception. Elle voulait se présenter à elles afin d'avoir la possibilité de passer un peu de temps en leur compagnie lorsque tout le monde serait installé. Elle était une fan d'Alvirah depuis que cette dernière avait commencé à écrire une chronique dans le *New York Globe* après avoir gagné à la loterie. Elle s'était passionnée pour le récit du kidnapping, puis du sauvetage de Luke Reilly, le père de Regan, par Alvirah, Regan et son mari Jack.

Ivy faisait depuis peu partie du groupe des Écrivains et Lecteurs de l'Oklahoma, créé un an auparavant, et dont les membres consacraient une partie de leur temps à l'alphabétisation. Beaucoup parmi ces écrivains étaient spécialisés dans le suspense. Ivy était lectrice. Elle disait volontiers qu'elle aurait fait un bon détective mais n'avait aucun talent pour écrire. Leur groupe comprenait cinquante personnes et un magazine leur avait consacré un article élogieux, soulignant la générosité de leur action bénévole. C'est pour cette raison qu'ils avaient été invités à la croisière.

Pour rire, le groupe avait décidé d'avoir un fantôme d'honneur, Louie Crochet du Gauche, un auteur de romans policiers d'Oklahoma qui – après avoir raccroché ses gants de boxeur professionnel poids lourds – s'était mis à boxer avec les mots. Il avait écrit une quarantaine d'ouvrages dont le héros était un ancien boxeur devenu détective. Louie était mort à plus de soixante ans, et il aurait eu quatre-vingts ans deux jours plus tard, raison pour laquelle ils avaient décidé de lui rendre hommage. Ils avaient accroché sur les portes de leurs cabines des portraits de son visage cabossé et souriant, ses mains chaussées de gants de boxe posées sur le clavier de sa machine à écrire.

Ivy n'avait jamais mis les pieds sur un bateau de croisière et avait l'intention d'explorer le *Royal Mermaid* de fond en comble. Sa mère, âgée de quatre-vingt-cinq ans, ne voyageait plus beaucoup mais adorait apprendre par le menu tout ce que faisait sa fille. Elles vivaient ensemble dans la maison où Ivy était née soixante et un ans auparavant.

Le Commodore conduisait leur groupe sur le pont où avait lieu le cocktail, et Alvirah était impatiente de voir la paroi d'escalade dont la description l'avait intriguée sur la brochure. Elle sursauta en voyant une petite femme semblable à un oiseau foncer vers elle et poser une main maigrichonne sur son bras.

« Je m'appelle Ivy Pickering », se présenta-t-elle avec vivacité. « Je suis une de vos fans. J'ai lu vos chroniques et tous les livres de Nora. J'ai découpé les photos du magnifique mariage de Regan et les ai conservées. Je désirais seulement vous saluer tous au moment de votre arrivée. » Elle leur adressa un grand sourire. « Je ne voudrais pas vous retenir. »

« C'est pourtant ce que vous faites », pensa le Commodore Weed, mais il n'aurait pas osé vexer une de ses charitables invitées.

« Je rêve d'être bien placée le long du bastingage au moment où le bateau prendra la mer. Et je me demande si, dans les prochains jours, vous accepteriez que je me fasse prendre en photo avec vous. J'aimerais les montrer à ma mère lorsque je rentrerai à la maison.

— Bien sûr », répondit Alvirah, parlant pour les autres.

Ivy Pickering hocha joyeusement la tête et s'éloigna d'un pas rapide.

Un homme, caméra à l'épaule, arrivait dans leur direction à la suite d'une énergique jeune femme munie d'un micro. Sa première question fut pour Nora : « Que pensez-vous de l'idée du Commodore Weed de rendre hommage à de généreux donateurs ? »

Regan aurait juré entendre son père murmurer : « Elle est contre. » Elle savait que ce genre de question stupide horripilait Luke.

L'arrivée subite sur le pont de deux policiers évita à Nora de répondre. Ils fonçaient droit vers un serveur qui approchait de leur groupe avec un plateau de champagne, un sourire forcé sur le visage. Les voyant regarder dans la même direction, il tourna la tête, curieux de savoir ce qui attirait leur attention. Quand il aperçut les policiers, il lâcha le plateau, pivota sur lui-même et courut vers l'escalier extérieur le plus proche qui menait au pont inférieur. Avant même que ses poursuivants aient eu le temps d'atteindre l'escalier, ils entendirent un grand *plouf*.

« Un homme à la mer ! » hurla Ivy Pickering.

Le Commodore contempla d'un air consterné le désastre à ses pieds. « À quoi bon dépenser mon argent pour du champagne de luxe », songea-t-il amèrement.

Tout le monde courut vers le garde-fou pour observer ce qui se passait en bas.

« Dites donc, il nage sacrément vite », fit remarquer quelqu'un.

Quelques secondes plus tard, la sirène d'une vedette de la police leur indiquait que le serveur avait beau être un excellent nageur, il serait rapidement rattrapé et hissé hors de l'eau.

Les autres serveurs ramassaient les débris de verre et nettoyaient le pont. Le Commodore se dirigea vers l'endroit où Dudley, revêtu d'un harnais de sécurité, s'apprêtait à faire une démonstration d'escalade. « J'ignore quel pouvait être son problème,

41

bafouilla Dudley. Il désirait tellement cette place et il *prétendait* avoir travaillé au *Waldorf*.

« — D'après la rumeur, il aurait découpé quelqu'un en morceaux, explosa le Commodore. Qui d'autre avez-vous engagé sur sa bonne mine ? »

Un micro était placé devant la paroi d'escalade. Il s'en empara.

« Eh bien, je vous avais promis une croisière excitante... »

Mais il lui fallut quelques minutes pour attirer l'attention générale. Tous les passagers surveillaient la progression du nageur. Le Commodore se répéta et ajouta : « Et il semble bien que nous soyons embarqués pour une croisière mouvementée, ah, ah ! » Il s'interrompit. « Il n'y a pas de doute », conclut-il gauchement.

Un jeune officier s'approcha du Commodore et lui murmura quelque chose à l'oreille. Son expression soucieuse se dissipa. « Je comprends. C'est tout à fait banal. Certaines femmes n'ont aucune patience. » Il se tourna vers la foule. « Le pauvre garçon était un peu en retard dans le paiement de sa pension alimentaire, semble-t-il. Rien de bien grave. Il a pris le risque de tomber amoureux et, après tout, l'essentiel est d'avoir connu l'amour... »

Le Commodore se devait de restaurer l'impression de convivialité générale. « Maintenant, allons remplir nos verres et tourner notre attention vers la paroi d'escalade derrière moi. Notre directeur de croisière, Dudley, va nous faire la démonstration de ce que vous pourriez ressentir si vous faisiez l'ascension de l'Everest. »

Avec un geste ample, il se tourna vers Dudley. « Grimpez jusqu'aux étoiles, mon cher », ordonna-t-il. Dudley s'inclina aussi bas qu'il le put, coincé dans son harnais. Un membre de l'équipage, chargé de l'assurer, tenait la corde de sécurité avec un manque visible d'enthousiasme.

Dudley posa le pied droit sur le piton fixé à la paroi et commença son ascension. Il tendit la main au-dessus de sa tête, saisit un autre piton et se hissa.

« Ne t'amuse pas à essayer ce truc-là », chuchota Willy à Alvirah.

« Pied droit, pied gauche », murmura Dudley en son for intérieur, sentant la sueur l'envahir. Son pied droit tâtonnait, cherchant le piton suivant, quand celui qui supportait son pied gauche remua comme une dent sur le point de tomber. « C'est pas vrai », gémit-il.

Si, c'était vrai.

Tandis qu'il s'efforçait de porter son poids sur le côté droit, le piton gauche céda et tomba. Les deux pieds de Dudley perdirent le contact avec la paroi et il se mit à osciller au bout de la corde comme un malheureux Tarzan.

La foule hurla des encouragements. Il tenta de sourire, regarda par-dessus son épaule, puis atterrit avec un bruit sourd sur le pont au moment où l'homme qui l'assurait le lâchait trop rapidement.

Nora et Regan n'osèrent pas regarder leurs maris.

6

Après avoir appris qu'il devait quitter sa cabine, Éric franchit à toutes jambes la passerelle d'embarquement, regagnant à la hâte le bateau.

Il aurait volontiers étranglé Alvirah Meehan !

« Prenez votre temps pour rassembler vos affaires. »

Bien sûr, madame. Comme s'il avait le temps ! Il savait que Dudley était bien content de le voir déménager. Et tout ça par la faute de ce crétin. Il s'était planté dans l'attribution des cabines. Maintenant, Dudley, directeur de croisière hors pair, allait envoyer une armée de stewards pour achever le processus d'expulsion. « Je sais qu'il me hait, pensa Éric. Spécialement depuis que j'ai obtenu une plus grande cabine. Celle de Dudley était petite et sans balcon, mais si seulement je l'avais à présent, je pourrais m'en contenter. » Éric était mort de peur à l'idée d'affronter Tony Bille en Tête et de lui annoncer les mauvaises nouvelles.

Préférant ne pas attendre l'ascenseur, il se précipita vers l'escalier.

« Comment vais-je les cacher ? *Où* vais-je les cacher ? Comment les garder dans ma cabine qui fait partie de la suite de l'oncle Randolph, pendant *trois jours* ? Cette chambre d'amis est si petite. Sans parler de la penderie.

« Tout ce que je sais, pensa-t-il encore, c'est que je dois les faire sortir de ma cabine, et vite ! »

« Ho ! Ho ! Ho ! Éric ! » L'un des passagers l'appelait. « Quand pourrai-je avoir mon costume de Père Noël ?

— Demandez à Dudley », répondit Éric, sans interrompre sa course.

Puis une pensée lui vint à l'esprit. Il devait mettre la main sur un ou deux de ces costumes. Bille en Tête et Barron Highbridge pourraient se déguiser en Pères Noël, personne n'aurait de soupçons en les voyant déambuler dans les couloirs.

Où étaient les costumes ? Ils devaient se trouver dans la réserve sur le pont numéro 3. Toutes les cabines des Pères Noël se trouvaient sur le pont numéro 3. Les bénévoles étaient moins bien lotis que les donateurs. Ainsi va le monde.

« Ai-je le temps d'aller jusque-là ? » Sans réfléchir davantage, Éric se retrouva en train de courir vers le pont numéro 3. Dans son jeu de passe-partout, il y avait une clef de la réserve. « Faites que les costumes soient là », pria-t-il.

Des voix lui parvenaient de certaines cabines. Il ne fallait pas qu'on le voie à proximité de la réserve. Des bagages étaient encore entassés devant les portes. Il sortit les clefs de sa poche et tourna sur sa droite. Au bout du couloir, il aperçut deux personnes. Heureusement, elles lui tournaient le dos. Il marcha à grandes enjambées vers la réserve, introduisit la clef dans la serrure, la tourna, et ouvrit la porte.

À son grand soulagement, les costumes de Père Noël étaient accrochés à un portant. Il en saisit rapidement deux qui lui semblèrent convenir à la corpulence de Tony et à la maigreur de Barron – deux individus qui n'étaient pas là pour distribuer des cadeaux. Il s'empara de deux barbes blanches, de deux bonnets et de deux paires de sandales noires. Des Pères Noël tropicaux, pensa-t-il. Dans un placard, il trouva des sacs-poubelle de plastique noir. Il fourra toutes les affaires dans l'un d'entre eux. Il lui restait peu de temps. Il transpirait abondamment.

Il quitta la réserve et monta quatre à quatre l'escalier d'accès au pont des embarcations. Il atteignit sa cabine sans avoir à expliquer à quiconque pourquoi il portait un sac-poubelle. L'écriteau NE PAS DÉRANGER était sur la porte. Il l'ouvrit et prit son courage à deux mains pour affronter la réaction de ses deux passagers clandestins.

Allongé sur le canapé, Barron regardait la télévision en puisant dans un sachet géant de chips. « Chut », dit-il à Éric, et il continua : « Tony vient de s'endormir. Il a été d'une humeur de chien toute la journée.

— Eh bien, ça ne risque pas de s'améliorer, dit Éric. Je dois vous faire déménager tous les deux. »

Les yeux de Tony s'écarquillèrent. « Quoi ?

— Il y a eu un cafouillage. Il manque une cabine. Un couple de passagers vient s'installer ici.

— Charmant ! s'exclama Bille en Tête. Avez-vous une idée de l'endroit où vous allez nous mettre ? »

Barron se redressa, l'effroi peint sur son visage. Le sachet de chips lui échappa, son contenu se répandant sur le canapé et sur le sol. « Vous nous aviez dit que tout serait très facile. Que nous n'aurions qu'à rester dans nos cabines.

— Vous allez vous installer dans ma nouvelle cabine. Elle se trouve au bout du couloir.

— Au bout du couloir ?

— Dans la suite de mon oncle.

— De "mon très cher oncle Randolph" ? gronda Tony.

— Exactement. »

Éric fit tomber le contenu du sac-poubelle sur le lit. « Enfilez ça, dit-il d'un ton pressant. Ensuite nous changerons de cabine. Mon oncle n'est pas là. Si on nous voit, personne n'aura de soupçons car il y a dix Pères Noël sur cette croisière. »

On frappa à la porte. « Puis-je vous aider à rassembler vos affaires, monsieur Manchester ? »

Éric reconnut la voix de Winston, le maître d'hôtel aux manières affectées qui, dans l'esprit de l'oncle Randolph, était censé ajouter une certaine classe à toute l'opération. « Non, merci, cria Éric en retour. Je n'ai besoin que d'un petit quart d'heure et vous pourrez préparer la chambre.

— Très bien. Appelez-moi lorsque vous serez prêt. Mes respects, monsieur.

— Il se croit à Buckingham Palace ou quoi ? » ricana Tony.

La crainte d'être découverts incita les deux compères à se dépêcher. Ils se déshabillèrent rapidement et enfilèrent les costumes. Éric leur tendit les barbes et les bonnets. Les sandales étaient trop grandes et fixées par des lanières. Ils avaient l'air grotesques.

47

Les yeux aux paupières lourdes de Tony avaient un regard mauvais par-dessus la masse blanche qui couvrait la moitié de son visage. Sur le visage de Barron la barbe mal ajustée couvrait mal sa bouche. Mais au moins, si quelqu'un les repérait, il était probable qu'ils s'en tireraient sans éveiller de soupçons.

« Voyons si la voie est libre », dit Éric, le cœur battant. Il ouvrit la porte de la cabine et regarda à droite et à gauche. Tout était silencieux. « Je vais aller jeter un coup d'œil dans la suite de mon oncle et m'assurer qu'il n'y a personne. » Il longea le couloir, ouvrit la porte et parcourut rapidement du regard les pièces. Puis il revint à la hâte à sa propre cabine, et fit signe aux deux hommes de le suivre.

Ils lui emboîtèrent le pas dans le couloir et pénétrèrent derrière lui dans la suite. Avec un soupir de soulagement, Éric referma la porte. « La chambre d'amis est par là, dit-il.

— Vous vous fichez de moi », gronda Tony après avoir jeté un coup d'œil à la pièce.

On y voyait pour tout mobilier un lit double, une table de nuit, une unique chaise face à un bureau encastré et un meuble de rangement.

Barron ouvrit la porte de la penderie. « Nous ne pouvons pas nous cacher tous les deux ici, dit-il.

— Vous ne vous y cacherez pas, répondit sèchement Éric. Allez dans la salle de bains. »

Comme la penderie, la salle de bains des invités était beaucoup plus petite que celle de la cabine principale.

« Attendez que j'aie rapporté toutes mes affaires ici, continua Éric. Fermez la porte. »

Avec un regard noir de fureur, Tony hocha la tête. « Je vous préviens, Éric. Vous avez intérêt à ce qu'on ne soit pas arrêtés. »

7

À seize heures tapantes, le *Royal Mermaid* quitta le port de Miami et entama la Croisière de Noël. Ce n'est qu'à ce moment-là que le Commodore, les nerfs à vif, ressentit un peu de soulagement après avoir cuisiné Dudley pour connaître la cause de si nombreux ratés avant même qu'ils aient largué les amarres. N'obtenant pas de réponse satisfaisante d'un Dudley visiblement au bout du rouleau, il monta sur la passerelle. Il se tenait à côté du capitaine Horatio Smith quand ce dernier donna l'ordre de mettre les moteurs en route. La présence de Smith était rassurante. Capitaine à la retraite d'une petite mais excellente ligne de croisière, Smith, à soixante-quinze ans, avait accepté avec joie de commander le *Royal Mermaid*.

« Tous à bord, Commodore ? demanda Smith.

— Moins un », dit le Commodore d'un ton sinistre, sans savoir qu'il y en avait en réalité un de plus. « J'espère seulement ne pas avoir à servir à table moi-même. » En compagnie de Smith, le Commodore sentit sa bonne humeur revenir peu à peu. « Tout voyage inaugural a ses hauts et ses bas », conclut-il en lui-même. Il s'était étonné de l'expression angoissée d'Éric quand il l'avait prié d'abandonner sa cabine et de s'installer avec lui. « Éric semblait tellement désireux que nous partagions ces moments quand nous nous sommes parlé la nuit dernière, se rappela-t-il. J'avais l'impression qu'il était heureux de se rapprocher de moi. Heureux d'avoir plus de temps à passer avec moi. Mais bon... »

Le Commodore se retourna pour voir combien de personnes se pressaient devant la fenêtre aménagée pour permettre aux passagers d'observer le capitaine à la barre du bateau. Déçu, il ne compta qu'un seul observateur, Harry Crater, un type à l'air maladif. En fait, il donnait l'impression d'être sur le point de passer l'arme à gauche. « Lorsque j'ai bavardé avec lui pendant le cocktail, songea-t-il, j'ai appris avec soulagement qu'il possédait un hélicoptère, et que s'il avait un problème médical urgent, il le ferait venir sur-le-champ. Je ne lui souhaite pas malheur, mais une telle opération de sauvetage serait un excellent sujet pour les médias. Elle mettrait en avant l'existence de notre propre aire d'atterrissage. » Il nota mentalement de mentionner ce point à Dudley.

Le Commodore fit un signe de la main et salua.

À la fenêtre, Harry Crater lui rendit son salut d'un geste à peine esquissé par un bras puissant dissimulé dans une veste deux fois trop large. Il ne se souciait que de l'aire d'atterrissage pour hélicoptère, et celle-ci convenait visiblement à ses plans.

Se rappelant de s'appuyer sur sa canne, il s'éloigna d'un pas traînant.

Le Commodore le regarda partir. « Sa santé est peut-être déficiente, mais il est clair que son esprit n'a pas été touché, se dit-il. J'espère seulement que cette croisière lui sera bénéfique. Je me demande ce qu'il a fait pour le reste de l'humanité cette année. Il faut que je me renseigne auprès de Dudley. »

« Aimeriez-vous actionner la sirène ? lui demanda le capitaine, une étincelle dans l'œil.

— Et comment ! » répondit le Commodore.

Comme un enfant s'emparant du volant d'une voiture à pédales, il plaqua sa main sur la commande de la sirène.

Tooooooot ! Tooooooot ! !

« Et vogue la galère, s'écria-t-il d'un ton triomphant. Et pas question de revenir en arrière ! »

8

La cabine de Regan et de Jack était séparée de celle de Luke et de Nora par un court corridor. Toutes deux étaient situées sur le pont immédiatement au-dessous de celle d'Alvirah et de Willy.

Les six amis étaient allés visiter l'installation des Reilly, l'avaient trouvée à leur convenance, et étaient montés ensemble dans l'ex-cabine d'Éric. Ils étaient remplis de curiosité. La cabine était reliée par un passage à la suite du Commodore, dans une section à part du bateau que n'occupaient pas habituellement les passagers.

La porte de la pièce était ouverte.

« Hello », appela Alvirah en arrivant sur le seuil.

Un homme chauve, droit comme un I dans un uniforme sombre de steward, passait un chiffon sur une table de nuit. « Bonne après-midi, madame, répondit-il en s'inclinant légèrement. Êtes-vous Mme Meehan ?

— Oui.

— Mon nom est Winston. Je serai à votre service durant cette traversée. Je me ferai un plaisir de vous assurer le meilleur confort et de vous apporter tout ce que vous désirez, depuis le petit déjeuner dans votre suite jusqu'à un chocolat chaud à l'heure du coucher. Puis-je vous présenter mes excuses pour le dérangement dû à une erreur de réservation ?

— C'est sans importance », dit Alvirah avec sincérité tandis qu'elle entrait dans la pièce et regardait autour d'elle avec admiration. « Vous avez de belles cabines, mes amis, dit-elle aux Reilly, mais celle-ci dépasse ce qu'on peut rêver.

— Elle est magnifique », convint Regan.

Elle n'avait pas manqué de remarquer l'expression d'Éric Manchester quand on lui avait demandé de céder la cabine. « Je comprends pourquoi il n'était pas heureux, pensa-t-elle. Mais il y avait davantage – il semblait *anxieux*. »

La porte de la penderie était ouverte. Nora jeta un regard à l'intérieur. « La penderie a pratiquement la taille d'une chambre, fit-elle remarquer.

— Avec les bagages d'Alvirah, rien n'est jamais trop grand, dit Willy. Oh, les voilà justement. »

Un groom essoufflé arrivait à la porte.

« Nous allons vous laisser vous installer, dit Luke. Et n'oubliez pas, il y a exercice de sauvetage à dix-sept heures. »

Winston fit une inspection de dernière minute, puis secoua la tête. « Comment cela a-t-il pu m'échapper ? » marmonna-t-il entre ses dents en se penchant pour ramasser des miettes de chips sur le sol près du canapé. « Je croyais qu'Éric était un accro de la nourriture bio... » Se redressant, il dit : « Je pense que tout est parfaitement en ordre à présent. Si vous avez besoin de quoi que ce soit, n'hésitez pas à vous servir du téléphone. » Il se tourna vers les

Reilly et ajouta d'un air pincé : « Nous pourrions laisser vos amis s'installer tranquillement à présent ? »

Sa voix avait l'accent britannique le plus affecté, digne d'un maître d'hôtel de roman.

« Nous allons partir », fit Jack d'un ton cassant.

« Il se prend pour qui ? Arrête ton char, bonhomme. Nous n'avons pas besoin de nous entendre dire qu'il est temps de partir. »

« Pas de précipitation, pourquoi cette hâte ? marmonna Luke.

— Nous nous retrouverons en bas après l'exercice de sauvetage », dit rapidement Alvirah, essayant de calmer la mauvaise humeur provoquée sans le vouloir par Winston. « N'est-ce pas merveilleux que nous soyons en route ? »

Alors que les autres suivaient Winston et franchissaient la porte, le groom se débattait pour hisser les valises sur le lit. La penderie portative de Willy était une merveille d'ingéniosité. À l'exception d'une autre petite valise, tout ce dont il avait besoin y entrait. Alvirah ouvrit le tiroir de la table de nuit de son côté du lit et y plaça ses comprimés de calcium. Elle avait entendu dire qu'ils étaient plus efficaces lorsqu'on les prenait le soir. Un jeu de cartes se trouvait à l'intérieur du tiroir.

« Oooh. Regarde, Willy. Te rappelles-tu que nous avions l'habitude de jouer aux cartes autrefois ? Nous ne le faisons plus depuis des années.

— C'est parce que tu es trop occupée avec tes enquêtes criminelles », répliqua Willy.

Les cartes étaient maintenues par un élastique. Alvirah les prit.

Willy les examina. « Je demanderai à Éric si elles lui appartiennent. C'est déjà assez ennuyeux que nous lui ayons pris sa cabine. »

Il fourra le jeu dans sa poche. « S'ils nous gardent trop longtemps à cet exercice de sauvetage, nous pourrons toujours jouer à la dame de pique. »

9

Tandis que Regan finissait de ranger le dernier de ses vêtements, Jack brancha leur ordinateur. Ils étaient tombés d'accord pour ne pas perdre le contact avec l'extérieur pendant trop longtemps. Bien qu'ils n'aient quitté New York que l'après-midi même, ils sentaient déjà que leur vie normale était à des lieues.

Les nouvelles du jour apparurent sur l'écran.

« De célèbres criminels en fuite ! »

Jack siffla en lisant le récit.

Le célèbre parrain de la Mafia Tony Pinto, dit « Bille en Tête », et son acolyte, l'escroc Barron Highbridge, font partie des hommes recherchés. Les deux criminels, issus de mondes différents, devaient comparaître devant le tribunal ce matin. Ils avaient été autorisés à passer Noël dans leurs familles mais, à l'évidence, ils ne sont pas restés pour manger les restes. Dans la demeure princière de Pinto à Miami, les autorités ont trouvé sa femme endormie, portant son bracelet émetteur à la cheville. « Je ne sais pas comment il est arrivé là, expliqua-t-elle. J'ai le sommeil lourd. Où est mon Tony ? »

Dans la propriété de Highbridge à Greenwich, dans le Connecticut, les guirlandes de l'arbre de Noël brillaient encore, mais il n'y avait personne à la maison. Sa mère, âgée de quatre-vingt-six ans, dont il avait affirmé qu'elle était quasi mourante, était partie en vacances sur la Côte d'Azur avec un groupe de copines. « Nous nous amusons tellement. Nous nous sommes baptisées les Filles du troisième âge », a-t-elle pépié au téléphone. « Condamner mon fils a été une terrible erreur judiciaire. Il a très bon cœur. Il a donné beaucoup d'argent à des tas de gens pendant des années… Je me sens très bien. Pourquoi me posez-vous la question ? »

L'ancienne petite amie de Highbridge est aujourd'hui à Aspen avec l'acteur de série B Wilkie Winters. « Je ne veux plus rien avoir à faire avec ce gibier de potence », a-t-elle pieusement déclaré, exhibant les bijoux que Highbridge lui avait achetés.

Regan lisait par-dessus son épaule. Ses doigts jouaient avec le collier que Jack lui avait offert pour Noël. « J'espère que je n'aurai jamais à dire ça en parlant de *toi* », plaisanta-t-elle.

Grâce à la réputation sans faille de sa famille fortunée, Highbridge, âgé de quarante-quatre ans, avait pu attirer des milliers d'investisseurs crédules dans son projet Ponzi. On s'attendait à ce qu'il soit condamné à un minimum de quinze ans de prison pour leur avoir soutiré des millions de dollars. Le procès de Tony Pinto, dit « Bille en Tête », accusé d'avoir ordonné le meurtre de rivaux dans des affaires immobilières, devait commencer le 3 janvier.

Jack secoua la tête. « Ces types savaient tous les deux qu'ils étaient quasi cuits. J'ai eu affaire à Tony quand il était à New York, mais nous n'avons jamais eu assez de preuves pour l'envoyer devant un grand jury. J'ai été heureux de voir que l'un de ses gars l'avait fait tomber. »

Regan était assise sur le lit. « Ils doivent être en route pour un pays qui ne pratique pas l'extradition. Mais ils ont certainement dû rendre leurs passeports pour bénéficier de leur liberté sous caution.

— Avec le renforcement des mesures de sécurité, ils n'iront pas loin munis de faux passeports, dit Jack. Je vais voir ce que le bureau sait à ce sujet. »

Il saisit son téléphone mobile international et composa un numéro. Keith, son adjoint, décrocha immédiatement.

« Jack, tu es censé être en vacances, dit-il en entendant la voix de son patron.

— Je suis en vacances. Je regarde aussi l'Internet. Je vois que Tony Pinto a échappé aux flics. Je n'ai jamais compris pourquoi ils ne l'avaient pas gardé en prison. S'il existe un type susceptible de s'enfuir, c'est bien lui. As-tu des informations sur lui ou sur Barron Highbridge ?

— Un de nos indicateurs affirme que Pinto essayait de contacter quelqu'un pouvant le faire sortir du pays. Les Feds font surveiller tous les aéroports.

Il est possible que l'un d'eux ou tous les deux se dirigent vers un de ces endroits des Caraïbes qui se montrent accommodants avec les riches et n'ont pas de traité d'extradition avec les États-Unis.

— Fishbowl Island en fait-elle partie ? C'est notre seule escale.

— J'ai une liste, dit Keith. Laisse-moi y jeter un coup d'œil. » Il rit. « Devine ? Fishbowl Island est bien dessus. Donc, ouvre l'œil.

— Compte sur moi. Rien d'autre ?

— Non, patron. Détends-toi et prends du bon temps avec ta femme. À quoi ressemble ce bateau de croisière, au fait ?

— Ne m'en parle pas, répondit Jack en riant. Un des serveurs a sauté par-dessus bord alors que nous étions encore au port. Il était condamné pour non-paiement de pension alimentaire. Et le directeur de la croisière est tombé de la paroi d'escalade.

— Apparemment, tu aurais été plus en sécurité sur tes skis.

— Peut-être bien. Tiens-moi au courant de ce qui pourrait me paraître important.

— C'est-à-dire tout, ironisa Keith. Je suis sûr que nous allons bientôt avoir d'autres nouvelles de Pinto. »

Jack examina la photographie de Pinto qui venait d'apparaître sur l'écran. « Je détesterais le voir s'échapper. On ne fait pas pire que cet individu. »

Comme il refermait son téléphone, une annonce jaillit du haut-parleur : « Attention, à tous les participants à la Croisière de Noël ! Ici le commodore Weed. Nous allons procéder à un exercice obligatoire de sauvetage. Tous les passagers doivent y assister. Sans exception. Cet exercice vous sauvera peut-être la vie. Munissez-vous de vos gilets de sauvetage et, s'il vous plaît, ne vous prenez pas les pieds dans les ceintures. Les membres de l'équipage sont prêts à vous diriger vers la salle à manger, où vous recevrez les instructions générales, avant de vous conduire à l'embarcation de sauvetage qui vous est attribuée. Pas de crise de nerfs – cet exercice est juste une précaution. »

Regan ouvrit la porte de la penderie, sortit les deux gilets de sauvetage et en tendit un à son mari. « Crois-tu que ce soit la seule fois que nous les enfilerons ? plaisanta-t-elle.

— À la façon dont se présentent les choses, je ne le parierais pas », dit Jack en aidant Regan à passer son gilet par-dessus sa tête. « Même l'orange fluo te va bien.

— Menteur ! Allons-y. »

10

Au moins l'exercice de sauvetage s'était bien passé, se dit Dudley en attendant dans la réserve de distribuer les costumes de Père Noël. À l'exception de cet idiot qui avait trouvé drôle de souffler sans arrêt dans le sifflet de sa brassière.

« J'aurais préféré que les instructions de sécurité ne comportent pas cette nouvelle recommandation, qui précise, au cas où vous ne réussissiez pas à atteindre un canot, qu'il faut placer une main sur votre bouche, saisir l'épaule de votre brassière de l'autre, et sauter à l'eau en vous persuadant que vous débarquez simplement du bateau. C'était grotesque. Que vous sautiez ou marchiez, vous entrerez de toute façon en contact avec l'eau d'une manière extrêmement désagréable. Ce genre de discours effraie les gens – Dieu sait qu'il me fait peur ! Je m'imagine debout sur le bastingage pendant que le bateau coule, essayant de me raconter que je suis sorti faire une petite promenade. »

Dudley haussa les épaules. Il y avait suffisamment de raisons de s'inquiéter sans chercher des complications. « De toute façon, si quelque chose d'autre foire, je pourrais bien me faire virer, pensa-t-il. Je n'arrive pas à croire que le Commodore ait pu se mettre dans une telle rogne contre moi cette après-midi. Était-ce ma faute si ce malheureux serveur n'avait pas payé sa pension alimentaire ? Non. Était-ce ma faute si le premier piton sur la paroi d'escalade a lâché ? Non. Le Commodore devrait être content que je m'en sois tiré avec quelques bleus aux fesses. Un bon bain ne me ferait pas de mal, pensa-t-il, mais bien sûr ma cabine ne compte pas de baignoire. Je peux m'estimer heureux d'avoir un lavabo.

« Mais c'est moi qui ai engagé le serveur, dut-il admettre. Et le cafouillage concernant les cabines était indiscutablement un loupé de ma part. Quand j'ai reçu la lettre de l'infirmière de M. Crater vantant toutes les sommes qu'il avait données aux bonnes œuvres cette année, et disant que son souhait le plus cher était de participer à notre croisière, comment pouvais-je refuser ? J'aurais seulement dû penser à noter son nom quand je l'ai communiqué aux responsables des réservations. Peut-être me suis-je trompé en faisant le décompte final, mais c'est leur faute s'ils ont attribué une même cabine à deux personnes ! »

« Je peux entrer ? »

Le premier Père Noël était arrivé. « Je m'appelle Ted Cannon », dit-il.

« Un Père Noël du genre calme, à première vue. Sans doute pas très marrant. Je n'arrive pas à l'imaginer en train de chanter "Ho ! Ho ! Ho !" »

« Content de vous voir, Ted », dit Dudley de son ton le plus cordial.

Les Pères Noël avaient été avertis qu'ils participaient à la croisière à condition de porter leur déguisement au cours du premier et du dernier dîner en mer. « Comment leur présenter au mieux la dernière lubie du Commodore – qu'il aimerait les voir costumés ainsi le plus souvent possible ? » se demanda Dudley. Randolph Weed voulait que ses invités baignent dans une atmosphère de fête, sans se rendre compte que rencontrer à tout bout de champ une flopée de Pères Noël dans tous les coins du bateau les rendrait dingues.

Les neuf autres Pères Noël arrivèrent dans les deux minutes qui suivirent et s'entassèrent dans la réserve. Dudley avait mis son discours au point. Qu'ils n'aillent pas s'imaginer qu'ils nous font une fleur, se répéta-t-il. Ils doivent croire que c'est un honneur d'avoir été choisis pour ce travail.

Il se sentit soulagé en voyant ses interlocuteurs se détendre quand il leur déclara à quel point le Commodore était fier de les avoir tous à bord. « Il sait le bien que vous faites tous en créant une atmosphère chaleureuse et festive pour tant de gens pendant cette période de vacances », expliqua-t-il, songeant que certains Pères Noël promettaient probablement aux gamins des cadeaux qu'ils ne verraient jamais. « Comme le Commodore n'ignore pas tout l'amour que vous avez prodigué aux enfants en jouant votre rôle de Père Noël, il espère que vous le prodiguerez de la même façon aux passagers durant cette croisière en portant ces costumes le plus souvent possible. » Dudley montra les déguisements suspendus derrière lui. « Le plus souvent possible », répéta-t-il. « Matin, midi et soir. »

Les sourires s'évanouirent. Bobby Grimes, un bonhomme grassouillet du Montana, qui semblait le plus jovial du lot, se récria : « Je croyais qu'il s'agissait d'un voyage à l'œil, pour nous remercier de tout le travail que nous avons déjà fait. Drôle de remerciement. Quand je travaille comme Père Noël, je suis payé un salaire de Père Noël. C'est une véritable arnaque. Ce qu'on appelle une rupture de contrat. »

Le mauvais coucheur du groupe venait de se dévoiler, pensa Dudley. « Je ne serais pas étonné qu'il passe un coup de téléphone par satellite à l'un de ces avocats qui font de la publicité à la télévision. "Vous vous êtes fait rouler ? Ou vous avez failli vous faire escroquer ? Peut-être avez-vous subi un traumatisme psychologique dans votre jeunesse. Nous allons poursuivre les coupables en justice. Vous le méritez." »

Quelques autres opinaient du chef, d'accord avec Grimes.

« Je porte un déguisement de Père Noël depuis Halloween, grogna l'un d'eux. J'en ai par-dessus la tête. Je rêvais de me prélasser en short dans un transat, pas de passer mes journées à transpirer dans un costume trop chaud, et qui gratte par-dessus le marché.

— Toute bonne action sera punie, c'est ça ? » renchérit un autre Père Noël. « J'ai été Père Noël volontaire. Et je n'ai pas eu droit à un centime pour avoir trimballé du matin au soir un gros sac sur mon dos. »

Ted Cannon était désolé pour Dudley, mais il n'avait nulle envie de porter ce costume chaque soir au dîner. Durant les deux périodes de Noël qui avaient suivi la mort de Joan, ses apparitions en Père Noël avaient été de cruels rappels de sa disparition. Elle l'accompagnait toujours dans les cliniques et les hôpitaux, ensuite ils allaient dîner au restaurant. Joan insistait pour régler la note, se souvenait-il. Elle disait en riant que le Père Noël méritait un bon repas après s'être glissé à grand-peine dans tant de cheminées.

« Je suis d'accord avec Bobby », dit Nick Tracy avec un accent traînant typique de sa Géorgie natale. « Je me déguiserai ce soir et le dernier soir, c'est tout. »

Ted vit une expression de désespoir apparaître sur le visage de Dudley et décida de lui venir en aide. « Allons, dit-il aux autres. Nous profitons d'un voyage gratuit. Qu'est-ce que cela peut nous faire d'enfiler ces costumes pendant une heure ou deux par jour ? » Il les désigna du doigt. « Ils sont plutôt légers. »

Dudley l'aurait volontiers embrassé.

« Mais regarde ces barbes », dit Rudy Miller, originaire d'Albany dans l'État de New York. « On est censés manger avec ça sur la figure ? Encore heureux si on arrive à boire ! »

— Vous pourrez les retirer pour manger, promit Dudley. Ce que nous voulons en fait, c'est permettre aux gens de se faire prendre en photo avec vous. »

Ted Cannon se dirigea vers le portant et entreprit de vérifier la taille des costumes. « Ils sont tous de grande taille », commenta-t-il « Je pense qu'il me faut un XL. » Il retira un cintre, plia ses vêtements par-dessus son bras, puis prit une barbe, un bonnet et des sandales dans les cartons à côté du portant.

« J'aime bien me déguiser en Père Noël », intervint Pete Nelson de Philadelphie. « Je suis plutôt timide de nature et je parle plus facilement aux gens quand je porte ce costume. Mon psy dit que c'est la même chose que d'être acteur. D'après lui, beaucoup de comédiens sont en fait extrêmement timides quand ils ne jouent pas un rôle.

— En voilà une trouvaille ! répliqua Grimes. On s'en fiche pas mal de savoir si les acteurs sont timides ou non ! La plupart sont des nuls surpayés.

— Arrêtez d'être désagréable, dit Nelson. J'essaye seulement de faire profiter les autres de ce que m'enseigne mon psy.

— OK, la plupart des psy sont aussi des nuls surpayés », rétorqua Grimes.

Nelson fronça les sourcils. « Je n'ai pas l'impression que vous ayez l'étoffe d'un Père Noël.

— Bien vu. Cette année a été ma dernière saison. »

« Peut-être devrait-il jouer l'Avare l'année prochaine, pensa Dudley. Voilà qui commence bien. Pourquoi ai-je inventé cette Croisière de Noël ? Je finirai par passer pour un marin d'eau douce confirmé. » Il commença à distribuer les costumes. Après en avoir remis quatre, il n'en compta plus que quatre sur le portant.

« Je n'y comprends rien, murmura-t-il avec inquiétude. « Il manque deux costumes. Monsieur Grimes, à moins que je n'arrive à les retrouver, vous allez être dispensé de répandre la gaieté autour de vous durant la croisière.

— Quoi ? »

Il était clair que Grimes était pris au dépourvu et qu'il adorait en fait se déguiser en Père Noël.

Ted Cannon classa Grimes parmi les types qui aimaient se plaindre à tout bout de champ. « Peut-être pouvons-nous faire tourner les costumes. Je suis dans la cabine à côté de Pete. Nous avons à peu près la même taille. Nous pourrions en partager un.

— Mon psy serait fier de vous, dit Pete Nelson en souriant.

— Monsieur Grimes, si vous voulez, vous pouvez partager un costume avec Rudy. Mais rien ne vous y oblige, lança aigrement Dudley.

— Ça m'est égal. Je vais m'arranger avec Rudy », répondit Grimes à contrecœur.

Lorsque les Pères Noël furent partis, huit d'entre eux munis de déguisements, Dudley explora la réserve. Non seulement deux déguisements s'étaient évaporés dans la nature, mais les sandales, les barbes et les bonnets qui les accompagnaient avaient eux aussi disparu. Qui donc s'en était emparé, et comment allait-il expliquer au Commodore qu'il ne disposait que de huit Pères Noël ?

Qui avait bien pu pénétrer dans la réserve ? Elle était toujours fermée à double tour. Cela ne pouvait être que quelqu'un muni d'une clef.

Dudley sentit l'inquiétude l'envahir. Il n'avait pas fait vérifier les antécédents de ce serveur. En fait, il n'avait fait vérifier les certificats d'aucun d'entre eux. On sait que les certificats sont fréquemment donnés par des gens qui font une faveur à des amis au chômage, et que la plupart sont un tissu de mensonges.

Quelqu'un à bord du bateau fomentait un mauvais coup. Et Dudley ne pouvait dire s'il s'agissait d'un membre de l'équipage ou d'un passager.

Ce dont il était certain, en revanche, c'était que si quelque chose d'autre arrivait, ce serait sa faute.

Soudain, l'idée de quitter le navire ne lui parut pas si mauvaise.

11

« Hé ho, nous fendons les flots bleus, et mon fier navire est un beau bateau », chantait le Commodore en se regardant d'un air satisfait dans la glace au-dessus de la banquette de son salon. Son nouvel uniforme, un smoking bleu nuit resplendissant avec des épaulettes dorées assorties aux boutons de sa veste, produisait exactement l'effet escompté. Il voulait que ses passagers le voient à la fois comme un personnage imposant et un hôte affable.

Mais ce serait bien d'avoir l'opinion de quelqu'un d'autre, décida-t-il.

« Éric ! » appela-t-il.

La porte de la chambre d'amis qui faisait partie de sa suite était fermée à clef, geste que le Commodore jugea un brin inamical. Après tout, réfléchit-il, avec ce large salon entre les deux cabines, nous ne nous gênons pas. Fermer la porte est une chose, la verrouiller en est une autre. Éric ne peut pas penser que je vais pénétrer chez lui sans y être invité. Quand j'ai frappé en vain, il y a quelques minutes, je voulais seulement savoir s'il faisait un somme et le prévenir qu'il était tard. Mais la porte était fermée à clef, et il m'a répondu d'une voix peu amène qu'il sortait de la douche. Qu'est-ce que je voulais ? – a-t-il ajouté.

« Au fond, peut-être aurait-il été préférable qu'il fasse la sieste, réfléchit encore le Commodore. Il avait l'air à bout aujourd'hui et il était indiscutablement de mauvaise humeur. Bon, je sais qu'il est soucieux, comme moi, de voir le voyage se dérouler dorénavant dans de bonnes conditions, en dépit des quelques moments difficiles du début... »

On frappa à la porte de la suite. Ce devait être Winston qui lui apportait une assiette d'amuse-gueules. Le Commodore préférait de beaucoup en profiter chez lui tranquillement avec une coupe de champagne plutôt que de devoir les mâchonner à la va-vite tout en serrant des mains et en posant pour des photos en compagnie de passagers. Rien n'est pire qu'une miette de pain sur votre menton ou une trace de moutarde sur votre joue lorsque vous êtes pris en photo.

« Entrez, Winston », cria-t-il.

Winston fit une entrée théâtrale dans la cabine, tenant au-dessus de sa tête un plateau chargé d'une bouteille de champagne, de deux coupes et de deux assiettes garnies de hors-d'œuvre divers. Un léger sourire effleurait ses lèvres, signe qu'il était content de lui. Mais ne l'était-il pas toujours ? Il posa le plateau sur la table basse et versa cérémonieusement une coupe de champagne au Commodore.

Celui-ci passa en revue l'assortiment qui lui était proposé – de minuscules pommes de terre fourrées au caviar, du saumon fumé, des bouchées aux champignons, et des sushis avec leur sauce. Son visage s'assombrit.

Winston eut l'air inquiet. « Quelque chose vous déplaît, monsieur ?

— Pas de petites saucisses en brioche ? »

Une expression horrifiée apparut sur le visage de Winston. « Oh, monsieur ! » protesta-t-il.

Le Commodore lui donna une claque dans le dos et rit bruyamment en s'asseyant sur la banquette. « Je plaisantais, Winston. Je sais que préféreriez mourir que de servir quelque chose d'aussi vulgaire. C'est pourtant bon. »

Winston ne fit pas de commentaire. Le même choix d'amuse-gueules avait été servi dans toutes les cabines des passagers, un geste qui, estimait-il, passait sans doute inaperçu de la plupart d'entre eux. Nombreux étaient ceux qui, à son avis, auraient préféré du pop-corn. Il disposa une des assiettes sur la table et prit le plateau. Puis il se retourna, s'apprêtant à traverser le salon. Il n'avait pas fait six pas que la porte d'Éric s'ouvrit. La refermant derrière lui, celui-ci adressa à son oncle un sourire enjôleur et alla s'asseoir à côté de lui sur la banquette.

« J'espère ne pas m'être montré désagréable quand vous m'avez appelé il y a quelques minutes. » Il eut un rire forcé. « En réalité, je me suis cogné un orteil en prenant ma douche. J'étais en train de proférer une série de jurons quand j'ai entendu votre voix.

— Tout va bien, mon garçon », le rassura le Commodore en mordant dans une bouchée aux champignons. « Tu m'as paru contrarié, mais se cogner un orteil est horriblement douloureux. » Un léger pli barrait son front. « Tu n'es pas encore

72

habillé pour la soirée. Tu es plutôt en retard, sais-tu ? »

Winston déposa la seconde assiette et une coupe de champagne devant Éric. « Je me demande s'il ne préférerait pas un paquet de chips, pensa-t-il avec dédain. Il faudra que j'inspecte sa cabine quand je déferai le lit. Il ne manquerait plus qu'il salisse la chambre d'amis du Commodore en y cachant ses cochonneries. Il est surprenant, songea aussi Winston, que, pour quelqu'un qui prétend sortir de sa douche, il ait remis sa tenue de jour. » « Monsieur Manchester, dit-il, y a-t-il un problème avec votre tenue de cérémonie ? A-t-elle besoin d'être repassée ? Je m'en chargerai volontiers si vous le désirez.

— Non, répondit sèchement Éric. Je n'ai pas encore pris ma douche.

— Mais je croyais que tu t'étais cogné le pied sous la douche ! s'étonna le Commodore.

— Je me préparais à la prendre lorsque je me suis cogné, se rattrapa vivement Éric. Je savais que vous m'attendiez pour prendre une coupe de champagne. Je ne voulais pas vous faire patienter davantage.

— Très bien. » Le Commodore se tourna vers Winston. « Ce sera tout, mon brave. »

Winston inclina ostensiblement la tête à l'adresse du Commodore. « Vous n'avez qu'à m'appeler, monsieur. »

Le Commodore le regarda s'éloigner avec soulagement. Il vida sa coupe de champagne et se leva. « Il faut que je me dépêche, déclara-t-il. Tâche de ne pas être trop long, Éric. Je compte sur toi pour charmer nos invités. » Il cligna de l'œil. « En particulier les dames. »

La note de réprimande dans la voix de son oncle n'échappa pas à Éric. Il savait qu'il aurait dû être déjà prêt à rejoindre les invités. Ne lui avait pas échappé non plus la curiosité peu amène avec laquelle Winston l'avait détaillé. « Je serai prêt dans moins de dix minutes, mon oncle », dit-il. Il se leva et fit mine de se diriger vers sa cabine. Puis, dès que le Commodore eut quitté sa suite, il versa dans son assiette les deux amuse-gueules que son oncle n'avait pas mangés.

Tony s'était plaint d'avoir faim. « J'espère que ça lui permettra de tenir un moment », pensa Éric. Il sentait l'affolement le gagner. « C'était à peu près sans risque de laisser ces deux-là dans ma cabine pendant l'exercice de sauvetage. Mais à présent je dois absolument les faire sortir d'ici en attendant que Winston ait fait le lit et changé les serviettes. Quel crétin d'avoir dit que je m'étais cogné le pied dans la douche. Winston a tout de suite remarqué ma nervosité. Je parie qu'il va fouiller la cabine de fond en comble. Je ne peux pas laisser ces deux larrons enfermés dans la salle de bains. Si Winston découvre que la porte est fermée au verrou, il fera sur-le-champ appel au service d'entretien. »

Ces pensées le tourmentaient quand il entra dans sa cabine où l'accueillirent les regards furieux de ses deux passagers clandestins. Encore vêtus de leurs costumes de Pères Noël, mais sans barbe ni bonnet, ils étaient assis côte à côte sur la couchette.

Éric tendit son assiette à Tony. « Pour ce qui est de la nourriture, c'est tout ce que je peux faire pour le moment. Il faut que je vous fasse sortir d'ici en vitesse. » Le ton de sa voix était un mélange de commandement et d'appel à la compréhension.

Les deux hommes se bornèrent à le regarder fixement.

« Je connais un endroit où vous serez en sécurité. » Les mots trébuchaient dans la bouche d'Éric. « La chapelle du Repos est située sur ce pont. Personne n'ira vous y chercher. Ensuite, après le dîner, je m'arrangerai pour vous faire rentrer en douce ici avant que mon oncle ne remonte.

— Vous appelez ça un dîner ? demanda Bille en Tête en prenant un sushi.

— Non, non. Je vous apporterai autre chose. Promis. Je vous en prie, nous devons quitter la cabine. Il y a une télévision dans l'office. Si je connais bien Winston, il est en train de siffler le reste du champagne et de regarder *Jeopardy*. C'est ce qu'il fait chez mon oncle. Il adore *Jeopardy*. Il a participé au concours pour être invité sur le plateau et il a failli gagner. *Allons-y !*

— Votre prix pour nous faire sortir du pays vient de baisser, gronda Highbridge. Pas un de nous deux ne vous donnera un dollar de plus.

— Et si par malheur nous n'atteignons pas Fishbowl sains et saufs, j'ai donné l'ordre à mes hommes de vous faire passer le goût du pain. »

Le ton de Bille en Tête était très calme. Il aurait pu aussi bien dire : « Passez-moi le sel. »

Éric ouvrit la bouche pour répliquer, mais la protestation mourut sur ses lèvres. « Pourquoi ai-je écouté Bingo Mullens ? se demanda-t-il, la bouche sèche et les mains moites. Il m'a dit qu'il connaissait un moyen facile de se faire un paquet de fric. Qu'est-ce que Bingo m'a dit ? "Votre oncle a un bateau. Il vous fait confiance. J'ai imaginé un coup imparable." »

Bingo avait été arrêté pour exercice illégal du jeu à Miami l'année précédente et il avait fait la connaissance de Tony en cellule avant que les deux hommes ne comparaissent en jugement. Un mois plus tôt, il avait contacté Tony et lui avait dit qu'il avait un moyen absolument sûr de le faire sortir du pays avant le début du procès. Tony avait dit banco, prêt à allonger un million de dollars. Le cousin de Bingo était une sorte de factotum chez Highbridge, dans le Connecticut. C'était par ce biais qu'Éric était rentré en contact avec ce dernier. « Maintenant, les voilà assis tous les deux dans ma cabine et, à moins que je ne parvienne à les planquer, nous allons tous être arrêtés, et ce serait le moins grave qui puisse m'arriver », pensa Éric, le cœur battant.

Il devait cacher les deux hommes pendant les trente-trois heures qui allaient suivre.

Savoir que son existence même en dépendait décida Éric. « Mettez ces bonnets et ces barbes, ordonna-t-il sèchement. En route ! »

Il s'assura que la voie était libre. Le couloir était désert. Il fit signe aux deux hommes de le suivre, murmura ensuite ses instructions avec un tremblement nerveux dans la voix. « Si quelqu'un vous aperçoit, ne vous en faites pas, les passagers s'attendent à voir des Pères Noël se balader dans le bateau. Ne tentez surtout pas de prendre la fuite. »

Highbridge jura dans sa barbe.

Il a changé, se dit Éric. Il y avait quelque chose d'inquiétant et de menaçant dans son attitude. Il eut la confirmation de son appréhension en entendant Highbridge grommeler : « Mes hommes auront votre peau si ceux de Tony ne s'en chargent pas. Comptez-y. »

Il leur fallut moins d'une minute, qui leur parut interminable, avant d'atteindre le couloir menant à la chapelle du Repos. Éric ouvrit la porte en vitrail, alluma la lumière, et jeta un coup d'œil à l'intérieur. La chapelle était la fierté du Commodore. Elle possédait un plafond voûté et était éclairée par des vitraux. Une allée centrale revêtue d'un tapis séparait six rangées de bancs en chêne et menait à une estrade qui délimitait le sanctuaire. L'autel, une longue table recouverte d'un drap de velours damassé retombant jusqu'au sol, était le point de mire de la salle. Un orgue était placé sur le côté.

« Entrez », dit Éric précipitamment, avant de refermer la porte derrière eux. « Allez vous asseoir derrière l'autel. Si vous entendez la porte s'ouvrir, planquez-vous dessous. Je serai de retour aussi vite que possible après le dîner.

— Et n'oubliez pas de nous apporter quelque chose à manger quand vous reviendrez, ordonna Tony en arrachant sa barbe.

— Bien sûr. Bien sûr. »

Se retenant de partir en courant, Éric éteignit la lumière, quitta la chapelle et se hâta le long du couloir.

Alvirah et Willy attendaient l'ascenseur. « Oh, content de vous voir, Éric, dit Willy. Alvirah a trouvé un jeu de cartes dans la table de nuit. Nous nous demandions s'il vous appartenait ?

— Non, il n'est pas à moi », répondit vivement Éric. Prenant un ton plus aimable, il se força à sourire : « Même enfant, j'ai toujours été un amateur de grand air. Je n'ai jamais pu rester assis assez longtemps pour jouer aux cartes.

— Dans ce cas, je vais voir si je trouve des amateurs avec qui jouer sur ce bateau », dit Willy.

Cinq minutes plus tard, au moment où il était sous la douche, une pensée frappa Éric comme un coup de tonnerre. Tony avait dormi dans son lit. Était-il possible que ces cartes lui appartiennent ?

Et dans ce cas, allait-il vouloir les récupérer ?

12

Le cocktail était servi dans le salon attenant à la salle à manger. À l'entrée, un photographe avait préparé son appareil et dressé une toile de fond représentant le bastingage d'un navire qui se découpait sur un ciel criblé d'étoiles. C'est là, à vingt heures, que le Commodore commencerait à poser avec les passagers qui entreraient petit à petit pour se faire photographier avec lui.

Les murs du salon étaient décorés d'une quantité d'articles et de photos encadrés, témoignages des activités philanthropiques des invités d'honneur. Une femme, Eldona Deitz, avait été invitée grâce à un magazine familial qui lui avait décerné un prix pour un récit sous forme de lettre où elle décrivait les activités de ses enfants durant les douze derniers mois. Une version agrandie et encadrée de la lettre en question était accrochée en évidence sur le mur. Pour s'assurer qu'elle n'échapperait à personne, une version format réduit était placée au centre de chaque table.

Le Commodore parlait à voix basse à un Dudley visiblement agité et il était clair qu'il n'appréciait guère ce que son directeur de croisière lui annonçait.

« Si nous n'avons que huit Pères Noël, monsieur, c'est que deux costumes ont disparu. » Dudley avait espéré trouver un moment favorable pour annoncer la nouvelle, mais malheureusement le Commodore avait déjà compté les silhouettes barbues et costumées qui déambulaient dans la salle et donné l'ordre à Dudley de dire aux autres de se dépêcher de venir les rejoindre.

« Comment deux costumes peuvent-ils avoir disparu ? » demanda avec insistance le Commodore. « La porte de la réserve était fermée à clef, n'est-ce pas ?

— Oui, monsieur.

— La serrure a-t-elle été forcée ?

— Non, monsieur.

— Dans ce cas, à moins que je ne me trompe, quelqu'un possédant une clef est entré dans la réserve et a volé les costumes.

— Cela semble être le cas, monsieur. »

Dudley vit le Commodore faire un effort manifeste pour réfréner l'indignation qui emplissait ses yeux d'éclairs.

« Je suis terriblement déçu, Dudley. Quelqu'un tente de saboter notre Croisière de Noël. Ma patience est à bout. Vous auriez dû signaler ce vol à Éric si vous n'arriviez pas à me trouver.

— Monsieur, lorsque je me suis rendu compte que les costumes avaient disparu, vous étiez en train de vous habiller pour le dîner, et je n'ai pas aperçu Éric depuis la fin de l'exercice de sauvetage.

— Il était dans ma suite. Je ne sais pas ce qui le met en retard à présent. Il devrait être là. En tout cas, pas un mot de cette affaire à quiconque ! Je ne veux pas que les passagers aient vent de la présence d'un voleur parmi nous. Ils ont déjà vu un de nos serveurs sauter à l'eau pour échapper à une arrestation. Où avez-vous recruté ces types ? Dans une maison d'arrêt ? »

À l'autre bout de la salle, les quatre Reilly étaient assis à une table. Regan observait l'échange entre le Commodore et Dudley. « Il semble que le commodore Weed soit en train de passer un savon au directeur de la croisière, fit-elle remarquer.

— C'est ce malheureux qui est tombé de la paroi d'escalade, n'est-ce pas ? demanda Luke.

— Oui, et je crois que c'est lui qui avait engagé le serveur qui a tenté de déserter le bateau.

— Comment as-tu découvert tout ça ? demanda Jack.

— Quand nous attendions les instructions pour l'exercice de sauvetage, papa et toi discutiez des prochains candidats à l'élection présidentielle. J'ai entendu par hasard deux jeunes officiers parler du type qui a sauté par-dessus bord.

— Et dire que je pensais que tu buvais mes paroles », fit Jack.

Regan ignora l'interruption. « Ces officiers disaient que le recrutement a été une véritable plaisanterie. Dudley n'avait pas l'habitude de s'en occuper dans les autres compagnies pour lesquelles il a travaillé. Ce n'est pas le travail d'un directeur de croisière. Le neveu du Commodore, Éric, le garçon dont Alvirah occupe la cabine, aurait dû s'en charger. Il ne l'a pas fait et Dudley s'est trouvé obligé de terminer le boulot à la dernière minute, en plus de la liste des invités. »

Jack prit la copie de la lettre posée au centre de la table. « L'auteur de ces lignes doit être quelqu'un de très intéressant. "Durant les douze mois qui viennent de s'écouler nous avons vécu des moments passionnants en voyant Fredericka et Gwendolyn s'épanouir et se transformer en deux adorables fillettes. Leçons de violon, gymnastique, chant, danse, observation des oiseaux, cours de maintien, préparation de gâteaux biologiques, etc. Mais toutes ces activités ne les ont pas empêchées de prendre conscience des souffrances d'autrui. Nous avons un certain nombre de voisins âgés auxquels elles rendent une petite visite tous les matins pour s'assurer qu'ils ont bien passé la nuit..."

— Dieu merci elles n'habitent pas notre quartier, marmonna Luke. Ces gamines ne sont pas à bord, j'espère ?

— Ne regarde pas », lui souffla Regan tandis que deux gamines passaient près de leur table, suivies d'une corpulente mère de famille qui criait : « Fredericka ! Gwendolyn ! Rendez leurs coupes de champagne à papa et maman ! »

Jack replaça la lettre dans son support. « Regan, promets-moi que nous ne publierons jamais un truc pareil.

— Promis. »

Nora était restée un moment en contemplation devant la photo grand format de « Louie Crochet du Gauche » qui ornait le mur près de leur table. « C'était un vraiment chic type.

— Qui ? demanda Luke.

— Louie Crochet du Gauche », expliqua-t-elle, en désignant la photo. « Il était champion de boxe avant de devenir auteur de best-sellers policiers. J'ai participé à une signature avec lui lorsque je n'étais qu'une débutante et qu'il était déjà très connu. Il y avait une longue file devant lui tandis que deux ou trois personnes s'attardaient devant ma table. Il s'est levé et a déclaré à la foule autour de lui qu'il avait lu et aimé mon livre et qu'il invitait ceux qui ne l'achèteraient pas à venir disputer un round avec lui, sur-le-champ. » Nora rit. « J'ai vendu une centaine de livres ! »

Regan et Jack regardèrent attentivement l'affiche. Ils eurent tous les deux la même impression. Louie Crochet du Gauche ressemblait de façon frappante à Tony Pinto, dont ils venaient de voir la photo sur l'écran de l'ordinateur.

« Savez-vous s'il a eu des enfants ? demanda Jack à Nora.

— Pas à ma connaissance », répondit-elle. Elle jeta un coup d'œil vers la porte. « Ah, voilà Alvirah et Willy. »

Les Meehan, Willy, en smoking comme tous les autres hommes, et Alvirah vêtue d'une veste de soie blanche sur une jupe longue noire, traversaient la salle et se dirigeaient vers eux.

« Désolée ! dit Alvirah. Mais pour une fois ce n'est pas moi qui suis responsable du retard. Willy a commencé une réussite, convaincu qu'il pouvait battre son propre score. Quand il a compris qu'il n'y arrivait pas, il ne lui restait que quelques minutes pour se préparer. N'ai-je pas raison, Willy ?

— Tu as raison, comme d'habitude, mon chou, dit Willy affectueusement. Alvirah a trouvé un jeu de cartes dans le tiroir de la table de nuit, et j'ai commencé à jouer. Il n'est pas neuf, aussi avons-nous pensé qu'il appartenait au neveu du Commodore. Mais nous l'avons rencontré devant l'ascenseur et il nous a dit qu'il détestait les cartes. Je les ai fourrées dans ma poche au cas où quelqu'un voudrait jouer plus tard. » Il leur montra une carte. « Elles ont un dessin intéressant. Comme des armoiries. »

Les autres regardèrent les cartes et acquiescèrent.

Comme Willy remettait la carte dans sa poche, le Commodore commença à tapoter son micro. « Attention ! Attention ! Le moment est venu de décerner les médailles de la Croisière de Noël à tous ceux qui ont payé si généreusement de leur personne durant l'année passée.

« Tout d'abord, je voudrais récompenser les Écrivains et Lecteurs. Je me sens bien modeste en leur présence... »

Des douzaines de mains brandirent en l'air leurs verres vides, faisant signe aux serveurs de venir les remplir. Il était clair que le Commodore commençait à mettre le public en condition. L'une après l'autre, il passa les médailles, attachées à un ruban, au cou de chaque membre du groupe des Écrivains et Lecteurs. Ceux qui avaient fait des dons à des organismes charitables, y compris Alvirah, vinrent ensuite. Enfin, quand ce fut le tour d'Eldona Deitz, son mari et ses enfants se tinrent à ses côtés. Incapables de contenir leur excitation, les deux gamines de huit et dix ans faisaient des bonds sur place.

« N'êtes-vous pas fières de votre maman ? demanda le Commodore.

— C'est nous qui avons fait tout le travail, glapit Fredericka. Maman aime dormir tard. Papa doit lui apporter son café tous les matins sinon elle est incapable d'ouvrir l'œil. »

Eldona saisit le coude de sa fille et sourit au Commodore. « Fredericka est notre petit amuseur public, n'est-ce pas, ma chérie ? »

L'enfant haussa les épaules. « Je sais pas », marmonna-t-elle.

Finalement le Commodore appela les dix Pères Noël, dont deux n'avaient pas de costume. « Il y a eu une légère confusion, expliqua-t-il à l'assistance, mais ces dix hommes merveilleux vont parcourir le bateau dans leurs costumes de Père Noël pendant les quatre prochains jours.

— Que Dieu nous vienne en aide », marmonna Luke.

Comme le Commodore accrochait la médaille au cou de Bobby Grimes, celui-ci, visiblement ivre, saisit le micro. « Je devrais être en train de porter un costume de Père Noël en cet instant même », fit-il d'une voix pâteuse. « Mais il y a un voleur à bord de ce bateau. *Faites gaffe, tous, tant que vous êtes !* Celui qui a pris la peine de voler deux de ces déguisements minables va s'en donner à cœur joie avec votre argent et vos bijoux ! »

13

Harry Crater avait prévu d'appeler ses acolytes au téléphone à sept heures du soir, mais la transmission par satellite de son téléphone portable tardait à être établie. Avec une irritation croissante, il attendit dans sa cabine pendant une heure, renouvelant son appel toutes les dix minutes. À vingt heures on frappa à la porte. C'était Gil Gephardt, le médecin du bord, qui avait pris sur lui de s'enquérir de sa santé.

Crater se rendit compte trop tard que sans sa veste trop large il n'avait pas l'air si chétif que ça. Il se tint volontairement voûté, dominant son frêle visiteur aux yeux de chouette.

« Oh, monsieur Crater, si vous vous souvenez, nous nous sommes brièvement rencontrés lorsque vous êtes monté à bord. Je suis le Dr Gephardt. En ne vous apercevant pas au cocktail de bienvenue ce soir, j'ai craint que vous ne vous sentiez souffrant. »

« Occupe-toi de tes oignons », pensa Crater. « J'ai fait un somme plus long que je ne m'y attendais, expliqua-t-il. Toute cette excitation liée aux préparatifs de la croisière m'a donné des battements de cœur. J'étais épuisé. »

Il était conscient que Gephardt l'étudiait de près, sans ciller.

« Monsieur Crater, mon sentiment, en tant que médecin, est que vous avez déjà meilleure mine. Quelques heures à respirer un air marin revigorant et la différence est remarquable. Je suis sûr que vous n'aurez pas besoin de faire venir cet hélicoptère. À présent, je vous recommande de descendre à la salle à manger et de prendre quelque nourriture.

— Je vous rejoins dans quelques instants », promit Crater, réfrénant l'envie de claquer la porte au visage de Gephardt.

Au lieu de quoi, il la referma doucement et se précipita vers la glace. La pâte grisâtre qu'il avait appliquée sur son visage avant de monter à bord avait presque disparu. Il en remit une nouvelle couche sans oser en utiliser autant qu'il l'eût souhaité. Ce toubib était plus malin qu'il n'en avait l'air.

Avant de quitter sa cabine, il tenta une dernière fois de joindre ses coconspirateurs. Cette fois, la connexion fut établie. Il confirma le plan. À une heure du matin le lendemain, il simulerait une attaque. Gephardt demanderait au capitaine de faire venir l'hélicoptère. On pouvait estimer que l'appareil arriverait avant le lever du jour. À cette heure les passagers et la majorité de l'équipage dormiraient. Toute l'opération serait un jeu d'enfant.

Sa conversation terminée, Crater sortit de sa cabine. Comme il se hâtait le long de la coursive déserte, il éprouva une satisfaction mauvaise à la pensée que dans trente-trois heures sa mission serait accomplie et il pourrait enfin toucher un gros paquet.

Il descendit en ascenseur jusqu'à la salle à manger. Se forçant à boiter et à s'appuyer sur sa canne, il traversa le salon désert, ignorant que la sortie avinée d'un Père Noël frustré avait fait l'effet d'une bombe au milieu du cocktail.

À la porte de la salle à manger, le maître d'hôtel se hâta à sa rencontre. « Monsieur Crater, je pense », dit-il, passant un bras secourable sous son coude. « Nous avons une table parfaite pour vous. Dudley vous a placé avec une famille des plus méritantes. Deux fillettes tout à fait remarquables qui se réjouissent à l'idée de vous apporter leur aide durant cette croisière. »

Crater, qui ne supportait personne de moins de trente ans, fut horrifié. En s'approchant de sa table, il constata que l'une des chaises vides était placée entre les deux petites « chéries » qu'il avait trouvées parfaitement infernales à la cérémonie de bienvenue.

Au moment où il s'asseyait, Fredericka se leva d'un bond : « Puis-je couper votre viande ? »

Pour ne pas être en reste, Gwendolyn jeta ses bras autour de son cou. « Je vous aime, oncle Harry. »

« Oh, mon Dieu, pensa-t-il, horrifié, elle va effacer mon maquillage. »

14

Ivy Pickering trouva sa place à l'une des tables des Écrivains et Lecteurs. La pensée qu'il y avait un voleur parmi eux la plongeait dans un état d'excitation extrême. Elle avait une passion pour les romans à énigmes, mais se trouver au milieu d'une affaire policière était un hasard inespéré. Il lui tardait de pouvoir tout raconter à sa mère dans l'e-mail qu'elle lui enverrait avant de se coucher.

Une discussion s'engagea à propos de la disparition des déguisements. La conversation était si animée que le serveur eut du mal à prendre les commandes.

« Es-tu sûre que tu n'as pas concocté toute cette histoire, Ivy ? » questionna en plaisantant son amie Maggie Quirk qui partageait sa cabine. « Tu voulais monter une pièce policière à bord avec les passagers, mais cela nous a paru trop compliqué. En outre, ce n'est pas notre rôle. Nous sommes là en qualité d'invités. » Les yeux noisette de Maggie pétillaient. C'était une femme bien en chair, avec de courts cheveux auburn qui ondulaient autour d'un visage agréable et toujours prêt à sourire. Il y avait

cependant une note désabusée dans sa voix, conséquence de l'échec de son mariage soi-disant « parfait ». Trois ans plus tôt, le jour de son cinquantième
anniversaire, elle avait eu la surprise d'entendre son
mari lui annoncer qu'il demandait le divorce parce
qu'il voulait vivre une vie plus excitante. Une fois le
choc atténué, Maggie s'aperçut que c'était le plus
beau cadeau d'anniversaire qu'elle ait jamais reçu.
« Ce raseur a gâché dix ans de ma vie, avait-elle dit
en riant à ses amis, et c'est lui qui me plaque. » Assis-
tante de direction dans une banque, Maggie avait
décidé de profiter désormais au maximum de son
temps libre. Elle s'était inscrite aux Écrivains et Lecteurs et avait été ravie de pouvoir participer à la
croisière.

« Maggie, nous n'avons pas besoin de mettre en
scène une histoire de meurtre. Nous devrions plutôt
chercher qui a pu dérober ces costumes de Père Noël
et dans quel but. Ce serait beaucoup plus amusant.

— Le malheureux directeur de cette croisière
semble légèrement perturbé. Il n'y avait sans doute
que huit déguisements dès le début », fit remarquer
Tommy Lawton, le vice-président du groupe, en
attaquant son saumon fumé.

« À mon avis, les deux costumes ont bel et bien été
volés, pensa Ivy, et je vais faire en sorte de découvrir
ce qui est arrivé. J'aurai alors un prétexte valable
pour me rapprocher des Reilly et des Meehan. »

Tous convinrent que les entrées et les plats princi-
paux étaient exquis. « La cuisine est franchement
délicieuse », dit Maggie tandis qu'on débarrassait les
assiettes. « Et encore meilleure du fait que c'est
gratuit. »

Le serveur apporta les salades.

Lawton s'étonna. « Avez-vous oublié de les servir avant le plat principal ?

— Non monsieur, répondit l'homme avec dédain, C'est ainsi qu'on les sert à Paris.

— Ah ! Je n'y suis jamais allé », dit Lawton d'un ton jovial. « Peut-être un jour... si je gagne au loto. »

Ivy savait que la salade lui couperait l'appétit pour le dessert. Repoussant sa chaise, elle chuchota d'un air espiègle : « Surtout ne dites rien d'intéressant pendant mon absence. » En quittant la salle à manger, elle ne manqua pas de saluer les Pères Noël qui étaient assis aux tables se trouvant sur son passage. Elle savait que l'un d'eux serait présent à leur table le lendemain soir. Elle espérait vivement que ce serait Bobby Grimes, celui qui leur avait conseillé de prendre garde à leur portefeuille. À moins naturellement que le Commodore ne lui interdise dorénavant de porter son costume. Grimes s'était fait copieusement sermonner à la suite de sa sortie.

Après avoir visité les toilettes, Ivy décida de faire un rapide détour par la chapelle du Repos. Sa mère serait sûrement contente d'en lire la description dans l'e-mail qu'elle lui enverrait ce soir. La chapelle devait être déserte en ce moment et Ivy pourrait sans peine l'inspecter tranquillement.

« Ce déguisement grotesque me gratte, se plaignit Tony. Il faut que je l'enlève si je ne veux pas devenir dingo. »

Highbridge et lui étaient restés assis dans l'obscurité derrière l'autel, se plaignant mutuellement d'avoir faim.

91

« Eh bien, vas-y, enlève-le », grogna Highbridge.

Tony se redressa, ôta veste et pantalon et les laissa tomber sur le sol. Vêtu de son seul caleçon, il étira les bras et commença à sautiller sur place. À ce moment précis, la porte de la chapelle s'ouvrit et la lumière s'alluma.

Pendant un instant Ivy et Tony se dévisagèrent.

« Aaaahhhhh », hurla Ivy.

Tony n'eut pas le temps de faire un mouvement. Ivy était déjà sortie et, ses pieds touchant à peine le sol, elle se rua le long du couloir et descendit l'escalier, sans cesser de crier jusqu'à la salle à manger.

« Bravo ! » dit Highbridge, paniqué, à son compère, ajustant à la hâte sa barbe et son bonnet. « Habille-toi en vitesse et tirons-nous d'ici. »

Dans la salle à manger, les passagers allaient éprouver le second choc de la soirée. Les têtes se retournèrent d'un bloc en entendant se rapprocher les hurlements d'Ivy. Quand elle apparut dans l'enca-drement de la porte, elle cria : « J'ai vu le fantôme de Louie Crochet du Gauche ! Il est dans la chapelle du Repos et se prépare à un nouveau combat ! *Il est ici, sur ce bateau !* »

Suivit un silence stupéfait, puis les Écrivains et Lecteurs d'Oklahoma partirent d'un éclat de rire. « C'est bien notre Ivy ! » lança quelqu'un.

L'hilarité gagna les autres tables.

« Mais c'est vrai, protesta Ivy. Il est dans la cha-pelle. Venez voir ! »

À une seule exception, tout le monde dans la salle à manger continua à s'esclaffer.

Éric se leva d'un bond et se tourna vers le Commodore. « Je vais aller vérifier, mon oncle. »

Le Commodore saisit son neveu par la manche et l'obligea à se rasseoir. « Ne sois pas ridicule. Cette femme est folle. Ne t'inquiète pas et déguste ton dessert. »

15

Tony Pinto et Highbridge s'enfuirent de la chapelle, détalant à toutes jambes le long de la coursive jusqu'à l'escalier le plus proche. Les grelots de leurs bonnets tintaient allègrement tandis que leurs pieds, effleurant à peine les marches, les menaient à l'étage inférieur. Deux niveaux plus bas, ils trouvèrent une porte, l'ouvrirent et s'engagèrent sur un vaste pont désert où s'alignaient plusieurs chaises longues. Il était clair qu'il n'y avait aucun endroit où se cacher dans ces parages. Ils se hâtèrent vers l'arrière du bateau, gravirent une volée de marches métalliques, et se retrouvèrent sur le pont de la piscine. Il y avait un bar à une extrémité. À l'autre bout, une longue baie vitrée donnait sur une salle baptisée « Le Lido » où des serveurs s'affairaient à disposer des plateaux sur une longue table.

« Ils doivent être en train de dresser le buffet de minuit, murmura Highbridge. Les gens passent leur temps à bouffer sur ces bateaux.

— Sauf nous, maugréa Tony. Entrons nous mettre quelque chose sous la dent.

— Tu plaisantes, s'insurgea Highbridge.

— Je ne plaisante jamais l'estomac vide. Reste calme. Fais mine d'avoir faim. Suis-moi. »

Ils s'avancèrent lentement le long de la piscine, franchirent la double porte et se dirigèrent vers le buffet. Une sculpture taillée dans la glace représentant un homme en uniforme de la marine, les pieds dans un récipient, faisait fonction de centre de table.

Un serveur qui se dirigeait vers la cuisine les arrêta. « Nous regrettons, le buffet n'est servi qu'à partir de vingt-trois heures.

— D'accord, mais nous débarquons du pôle Nord et il est trop tard pour dîner là-bas », expliqua Tony, s'efforçant de prendre un ton badin.

Mais sa plaisanterie sonnait faux et il se mit à rire. Hélas, son rire ne sonnait pas plus juste.

Highbridge s'en mêla : « Il faut que nous nous mettions quelque chose sous la dent pour tenir le coup et puis nous devons nourrir Rudolph, notre renne. Il devient hargneux quand il n'a pas mangé. »

Le serveur haussa les épaules. « Il n'y a encore rien de chaud. J'espère que Rudolph aime le fromage. »

Tony hocha la tête puis grommela entre ses dents : « Assez bavardé. Nous reviendrons plus tard. Raflons ce qu'il y a et tirons-nous rapido. »

16

« *Vous ne me croyez donc pas ?* » s'époumonait Ivy.

D'une seule voix, les Écrivains et Lecteurs de l'Oklahoma s'écrièrent : « Non ! »

À la table des Reilly et des Meehan, les trois couples échangèrent des regards inquiets.

« J'ai participé à beaucoup de week-ends d'improvisation théâtrale, dit Nora, mais personne ne m'a jamais paru aussi convaincant qu'Ivy. Je ne crois pas qu'elle joue la comédie.

— Elle est visiblement persuadée d'avoir vu quelque chose », acquiesça Regan.

Dudley était assis non loin de là. Il se leva brusquement et se précipita vers Ivy. « Mademoiselle Pickering, je sais que vous essayez de vous amuser pendant cette croisière mais... »

Ignorant l'interruption de Dudley, Ivy courut jusqu'à la table d'Alvirah. « Ils croient tous que je plaisante. Ils se trompent. J'ai vu Louie Crochet du Gauche en caleçon écossais dans la chapelle. Il s'entraînait pour un combat. Comme ça... » Elle se mit à sautiller sur place, les bras écartés.

Avec un regard de regret à la crème brûlée qu'elle n'avait pas encore goûtée, Alvirah se leva de sa chaise. « Allons voir de quoi il retourne, dit-elle.

— Nous vous accompagnons, mademoiselle Pickering, dit Jack à son tour.

— Merci. Appelez-moi Ivy. »

Sans prendre le temps d'attendre l'ascenseur, ils empruntèrent l'escalier jusqu'au pont des embarcations. Nora passa une main rassurante sous le coude d'Ivy tandis qu'ils empruntaient la coursive menant à la chapelle du Repos. « Elle tremble, constata-t-elle, elle a vraiment eu peur. »

« Je voulais juste jeter un coup d'œil à la chapelle avant d'envoyer un mail à ma mère... Je ne sais pas si vous aimez la salade, mais pas moi. Par-dessus le marché, ils ne l'ont pas servie au bon moment. J'ai préféré m'absenter quelques minutes pour aller voir la chapelle pendant que tous les autres mâchonnaient comme des lapins. Peut-être même y dire une prière pour ma mère. Elle a quatre-vingt-cinq ans et elle est toujours en forme. Maligne comme un singe. Elle s'est mise au yoga. Cela lui a fait un bien fou. Elle va à l'église tous les jours. C'est pour cette raison que je savais qu'elle serait intéressée par la chapelle...

— Le Commodore tient beaucoup à sa chapelle, intervint Dudley. Il espérait pouvoir célébrer un mariage durant la croisière. La chapelle convient parfaitement à toutes les circonstances exceptionnelles... » Conscient qu'il monologuait, il se tut.

Jack ouvrit la porte. Le sanctuaire était plongé dans l'obscurité, hormis la faible lueur de l'éclairage du dehors qui filtrait à travers les vitraux. « Ivy, la lumière était-elle allumée lorsque vous êtes entrée ?

— Non. J'ai refermé la porte et vu tout de suite l'interrupteur. Il est lumineux. Je l'ai abaissé et... Oooohhh. Mais je ne l'ai pas éteint en partant ! ajouta-t-elle.

— Nous encourageons nos invités à éteindre la lumière chaque fois que c'est possible. Laisser la lumière allumée dans votre cabine quand vous allez dîner est un gaspillage d'énergie. Le Commodore est très soucieux du réchauffement de la planète », expliqua Dudley.

Jack tendit la main vers l'interrupteur. Les lampes du plafond et des bas-côtés s'allumèrent, illuminant la chapelle. Ivy désigna le côté droit de l'autel. « C'est là qu'il était en train de sautiller sur place. Louie Crochet du Gauche ! Je sais que cela paraît insensé, mais il était là. Lui ou son fantôme !

— Ivy, vous a-t-il parlé ? demanda Alvirah. Je suis sûre qu'il n'aurait pas voulu vous effrayer ainsi. Après tout, vous aviez décidé de lui rendre hommage pendant cette croisière.

— Non. Il s'est contenté de me regarder. Les caisses contenant une édition spéciale de son premier roman, *Le Punch de Planter*, n'ont pas été livrées à temps. C'est peut-être ça qui l'a contrarié.

— *Le Punch de Planter* ? fit Regan.

— Oui. Louie Crochet du Gauche, le boxeur devenu détective, s'appelait Pug Planter. Ce premier roman a connu un énorme succès. Mais, comme je viens de le dire, l'édition classique que nous devions vendre à bord n'est pas arrivée avant le départ du bateau. »

Nora leva les yeux au ciel. « Ce n'est pas à moi qu'il faut parler des livres qui n'arrivent pas à temps quand j'ai une signature prévue.

— Les livres n'ont peut-être pas été livrés, mais Louie Crochet du Gauche était pourtant bel et bien là ! s'entêta Ivy. Je sais que nous avons dédié la croisière à son fantôme. Mais j'ai toujours cru que l'on pouvait voir à travers un fantôme. Et il faisait du bruit en sautant !

— Vous dites qu'il se trouvait près de l'autel ? demanda Jack en s'avançant dans l'allée centrale.

— Oui. Il était exactement ici », indiqua Ivy en suivant Jack.

Regan remarqua que l'épais tissu damassé qui recouvrait l'autel avait été déplacé. Elle en souleva un coin et regarda par-dessous. Il n'y avait rien.

Alvirah regarda à son tour puis, retrouvant ses vieux instincts de femme de ménage, remit le drap en place.

« Je sais ce que vous pensez tous, dit Ivy. Vous pensez que j'ai imaginé toute l'histoire. Mais je vous affirme que j'ai vu un homme en caleçon. Si ce n'était pas Louie Crochet du Gauche, c'était son jumeau.

— Ivy, est-ce qu'un membre de votre groupe savait que vous aviez l'intention de venir ici ? demanda Regan.

— Non. Je ne savais pas moi-même que j'allais venir.

— Il semble que Louie n'ait rien laissé derrière lui », fit remarquer Jack.

Ivy lança un coup d'œil soupçonneux à Jack, craignant qu'il ne fasse de l'ironie.

« Quelqu'un a peut-être voulu faire une mauvaise blague, avança Jack. Peut-être l'avez-vous surpris en train de s'entraîner. Connaissez-vous tous les membres de votre groupe ?

— J'en connais certains mieux que d'autres. Il y a deux hommes, par exemple, que je n'ai rencontrés qu'à de rares occasions. Mais aucun d'eux ne ressemble à Louie.

— Des photos de Louie sont affichées dans tout le bateau. Une personne à bord avait peut-être prévu de vous faire une surprise pendant l'un de vos séminaires, suggéra Alvirah. Vous avez eu tellement peur à sa vue que vous ne lui avez jeté qu'un coup d'œil très bref avant de vous sauver en courant.

— Je suis sûre de ce que j'ai vu, s'obstina Ivy. J'ai vu quelqu'un qui était le sosie de Louie Crochet du Gauche. »

Luke se tenait près du dernier banc. Quelque chose sur le sol, sous le banc, attira son regard. Il se pencha et ramassa une petite boule métallique percée de fentes et contenant une bille minuscule à l'intérieur.

« Qu'as-tu trouvé là ? demanda Nora.

— Trouvé où ? » interrogea Alvirah, qui avait une ouïe si fine qu'elle pouvait entendre une conversation à voix basse à trois pièces de distance.

Luke s'avança vers elles et ouvrit la main. « Sans doute rien d'intéressant. À moins que Louie Crochet du Gauche n'ait eu ceci cousu à son caleçon. »

Alvirah prit la petite boule et l'agita. Elle émit un léger tintement. « On les utilise couramment comme décorations de Noël. » Elle sourit. « Nous allons la garder comme pièce à conviction. »

Dudley sentit la panique le saisir. Il savait que ce grelot était tombé d'un des bonnets de Père Noël. Appartenait-il à l'un des costumes qui avaient disparu ?

Jetant un dernier coup d'œil autour d'elle, Regan se tourna vers Ivy. « Vous semblez avoir besoin de vous détendre. Voulez-vous venir prendre un dernier verre avec nous ?

— Très volontiers ! répondit Ivy avec enthousiasme. Mon groupe ne me prend pas au sérieux, mais vous semblez me croire, et j'en suis heureuse.

— Nous allons trouver ce qui se trame à bord de ce bateau », promit Alvirah.

Dudley en aurait pleuré. Cette croisière avait été organisée dans le seul but de donner du *Royal Mermaid* une image favorable. Faire savoir partout dans le monde que ce bateau de croisière était une merveille et inciter le maximum de gens à ouvrir leur portefeuille et à se précipiter à bord. Désormais, avec cette bande de fouineurs, toute l'affaire pouvait tourner à la catastrophe et ruiner tous ses efforts de relations publiques. Et lors de sa première traversée commerciale, le *Royal Mermaid* ressemblerait à un bateau fantôme.

Dudley Loomis ne pouvait accepter ça.

C'était simplement impossible.

Le Commodore tenait sa cour à sa table. Il racontait comment il avait décidé de changer de vie, de rénover de fond en comble le *Royal Mermaid* et de passer le reste de ses jours à naviguer autour du globe. « Ma passion pour la mer a commencé quand j'ai reçu en cadeau un bateau en plastique à l'âge de cinq ans. Je portais ma petite ceinture de sauvetage et mon père m'a emmené faire le tour du lac qui était près de notre maison... »

Éric et le Dr Gephardt avaient entendu cette histoire une centaine de fois. Ils avaient l'obligation d'être présents tous les soirs à la table du Commodore et de faire assaut de charme auprès d'invités chaque fois différents. Ce soir-là, c'étaient les Jasper, un couple âgé qui avait gagné la croisière aux enchères pendant une réunion organisée au profit de la Société de protection des amphibies, et les Snyder, un couple plus jeune du groupe des Écrivains et Lecteurs, qui avaient le privilège de dîner avec les officiers du bord.

Éric aurait donné n'importe quoi pour se lever de table tant il redoutait ce que pouvaient manigancer les deux criminels depuis qu'ils avaient été surpris dans la chapelle. Pourquoi Tony avait-il ôté son costume, et pour quelle raison sautillait-il ainsi sur place ? Était-il devenu fou ? Les Reilly et les Meehan étaient-ils allés jusqu'à la chapelle avec cette hystérique ? Il les avait vus sortir ensemble de la salle à manger. Tony et Highbridge pouvaient-ils avoir été assez stupides pour rester dans la chapelle ?

Éric fulminait contre Dudley qui avait réussi à quitter la table lorsque cette Ivy avait perdu les pédales.

Le Dr Gephardt avait fait le tour de la salle où étaient servis les cocktails avant de monter prendre des nouvelles d'Harry Crater. Il fallait que Crater ait refilé un paquet de fric à des associations caritatives, pensa Gephardt, pour que le Commodore ait pris le risque d'avoir à bord quelqu'un d'aussi malade. Il tourna son regard en direction de la table où se trouvait Crater et vit le vieil homme se lever de sa chaise. Les fillettes assises à côté de lui s'apprêtèrent aussitôt à l'aider.

Crater se sentait prêt à exploser. Ces gamines l'avaient exaspéré durant tout le dîner et la conversation de leurs parents était assommante. Au moins la crise d'hystérie de cette femme avait-elle créé une diversion bienvenue.

« Monsieur Crater, il faut que je prenne une photo de vous avec mes filles », disait Eldona avec insistance. « Nous ferons un album de la croisière et vous l'enverrons. Il faudra nous communiquer votre adresse. S'il vous plaît, revenez vous asseoir. »

Crater s'apprêta à se rasseoir en maugréant et Eldona faillit pousser un cri en voyant que Gwendolyn avait écarté sa chaise de la table, comme on le lui avait appris à son cours d'assistance aux personnes âgées. Elle vit l'expression du visage de Crater passer de la stupéfaction à l'effroi quand il se rendit compte qu'il s'asseyait dans le vide. Un bruit sourd se fit entendre au moment où la tête de Crater disparaissait derrière le bord de la table.

Les exclamations qui fusèrent des tables alentour interrompirent le Commodore qui racontait l'histoire des jours heureux qu'il avait naguère passés dans une école de voile de Cape Cod.

Furieux, étendu sur le dos, et momentanément choqué, Crater comprit qu'il s'était fait un tour de reins, une fois de plus. Penchée sur lui, Fredericka lui tamponnait le visage avec sa serviette qu'elle avait trempée dans un verre d'eau. « Allons, allons, roucoulait-elle. C'est la faute de maman. Oh ! là, là ! qu'est-ce que c'est ce truc gris que vous avez sur la figure ? »

Crater lui arracha la serviette des mains. « C'est à cause de mes médicaments, gronda-t-il. Ne me touchez pas. »

Entre-temps, le Dr Gephardt s'était accroupi à côté du malade, ravi d'avoir une bonne raison de fuir la table du Commodore. Il leva un doigt. « Monsieur Crater, pouvez-vous voir mon doigt ? »

Crater écarta la main du médecin d'un geste brusque et tenta de se lever. Mais la douleur dans son dos l'en empêcha.

Gephardt fronça les sourcils. « Nous allons faire venir une civière. Nous ne pouvons prendre aucun risque avec quelqu'un dans votre état. De quoi souffrez-vous exactement ?

— En ce moment, absolument de tout.

— Pouvez-vous remuer les jambes ?

— J'ai le dos fragile. Je me suis fait un lumbago. Ce n'est pas la première ni la dernière fois. Ça va s'arranger. Aidez-moi seulement à me lever. »

Gephardt secoua la tête. « Sûrement pas. Vous avez fait une mauvaise chute, et personne ne peut dire si vous ne vous êtes pas blessé sérieusement. En ma qualité de médecin, j'insiste pour que vous passiez la nuit à l'infirmerie. Si nécessaire, nous ferons venir votre hélicoptère. »

— *Non !* » s'écria Crater en se soulevant sur un coude. Il fit une grimace en sentant un spasme familier secouer son dos et déclencher une douleur fulgurante à travers tout son corps. « Je ne veux pas abandonner cette croisière. J'ai gagné ce voyage grâce aux dons considérables que j'ai faits à des associations caritatives. »

Fredericka et Gwendolyn faisaient des bonds, battant des mains. « Youpi ! Nous irons vous rendre visite à l'hôpital du bateau ! »

Deux infirmiers arrivèrent avec une civière, y déposèrent Crater avec précaution, lui attachant les bras pour l'empêcher de bouger. Il entendit le médecin dire à l'un des infirmiers qui l'emportaient hors de la salle : « J'ai le numéro de téléphone de son hélicoptère. Peut-être devrais-je les appeler et les avertir qu'ils se tiennent prêts à rapatrier leur patron. »

18

Le pont réservé aux activités sportives était situé à l'arrière du bateau. Outre la malheureuse paroi d'escalade, il comprenait un terrain de basket et un golf miniature. Cherchant un endroit où ils pourraient manger à l'abri des regards, Tony Pinto et Highbridge avaient transporté avec eux leurs plateaux sur lesquels ils avaient entassé au hasard fromage, biscuits salés et raisin. Quand ils atteignirent l'espace des terrains de sport, Highbridge désigna une étable miniature rouge qui enjambait le septième trou du golf. Une vache, la bouche ouverte, passait la tête par la partie supérieure de la porte, un espace entre ses dents servant visiblement de cible aux golfeurs. Une fois la balle envoyée entre les mâchoires de l'animal, on pouvait espérer qu'elle conserverait assez d'élan pour rouler à travers la grange, franchir une rigole et s'arrêter assez près du trou pour y entrer d'un seul coup.

« Cachons-nous derrière l'étable, suggéra Highbridge. Nous sommes à l'arrière du bateau, personne ne nous verra. Et le golf est fermé en ce moment.

— Mes cartes ! s'écria soudain Tony.

— Quoi, quelles cartes ?

« — Voir ces jeux m'a fait penser à mes cartes ! Je les ai oubliées dans l'autre cabine.

— Et alors ?

— Il faut que je les retrouve. C'est important. »

Les deux hommes entendirent des voix qui montaient dans l'escalier. « Viens, dépêche-toi ! » dit Highbridge avec impatience.

D'un pas rapide, ils contournèrent le grillage du terrain de basket et suivirent le parcours compliqué du golf, jusqu'à ce qu'ils se trouvent en sécurité derrière la façade de l'étable. Ils s'assirent, le dos appuyé à l'étable, et dévorèrent le contenu de leur plateau.

Le ciel commençait à se couvrir.

« Nous avançons sacrément vite », constata Highbridge, contemplant le sillage blanc bouillonnant qui fendait la vaste étendue d'eau noire. « Mais ce ciel ne me dit rien qui vaille.

— Pourquoi ? Tu préférerais une pleine lune et des étoiles pour qu'on ne manque pas de nous voir ?

— Je possédais un yacht jusqu'à ce que les Fédéraux se montrent menaçants. Je connais ce genre de temps. Nous allons essuyer une belle tempête. »

19

Malgré ces nombreuses interruptions, le Commodore était bien décidé à terminer la saga de sa vie de coureur d'océans. Et il y parvint. Les deux couples assis à sa table arrivèrent à garder un sourire forcé pendant qu'il décrivait la construction boulon après boulon du *Royal Mermaid*, aujourd'hui le bateau le plus rapide des océans dans sa catégorie.

Profitant d'un moment où il s'essuyait la bouche avec sa serviette, Éric se leva brusquement. « Passez une très bonne soirée, dit-il à ses voisins de table. Je vais aller prendre des nouvelles de M. Crater et ensuite j'irai me mêler aux autres invités.

— Viens m'embrasser », dit le Commodore en lui tendant les bras.

Éric se pencha et laissa son oncle quasi l'étouffer dans une étreinte qui se termina par un baiser sur la joue.

« C'est le fils que je n'ai jamais eu », expliqua-t-il à ses invités stupéfaits.

En quittant la salle à manger, Éric vit les Meehan et les Reilly, accompagnés de cet idiot de Dudley et de l'hystérique de service, qui descendaient l'escalier du pont. Il se sentit momentanément soulagé. Visiblement, ils n'avaient rencontré ni Tony ni Highbridge. Maintenant, la meilleure chose à faire était de leur demander si tout allait bien.

Prenant un air supérieur, Dudley répondit d'un ton dédaigneux : « Ne vous en faites pas, Éric. J'ai les choses en main. Il est possible que nous ayons parmi nous un mauvais plaisant qui a malheureusement effrayé Mme Pickering. Je suis sûr qu'il sera bientôt démasqué.

— Nous allons prendre un dernier verre », dit Ivy d'un ton charmeur. « Voulez-vous vous joindre à nous ?

— Je vous remercie, mais il faut que j'aille voir un de nos invités qui est à l'infirmerie.

— Déjà ? s'étonna Alvirah.

— Malheureusement, oui. Vous l'avez peut-être remarqué. Il s'agit de M. Crater, l'homme qui marche avec une canne. Il était à la table avec les petites Dietz...

— Je le plains », murmura Luke.

Éric sourit et leva les yeux au ciel, faisant son numéro de charme si bien rodé. « Sans blague, Dudley, vous l'avez mis à la table de ces insupportables gamines ? demanda-t-il d'un air moqueur en lui tapotant le bras.

— Je me suis cassé la tête avec les plans de table, répondit Dudley sur la défensive. Ces enfants nous accompagnent en raison de leur nature affectueuse et attentionnée, si bien décrite par leur mère dans sa belle lettre de Noël pleine de sentiment.

— Il se trouve qu'une de ces filles s'est montrée tellement attentionnée qu'elle a tiré la chaise sur laquelle Crater s'apprêtait à s'asseoir, et qu'il s'est étalé. C'est pour cette raison qu'il est sorti de la salle à manger ficelé sur une civière.

— Dire que nous avons manqué tout ça ! dit Ivy, dépitée.

— J'en ai peur, en effet, répondit Éric.

— Bon, peu importe », se reprit Ivy. « J'ai auprès de moi ces gens merveilleux, qui vont m'aider à tirer cette affaire au clair. » Elle désigna Jack. « Qui peut compter sur l'aide du chef de la Brigade des affaires spéciales de la ville de New York ? » Elle désigna ensuite le reste du groupe. « Qui, dans la recherche de la vérité, peut se vanter de disposer de l'assistance d'une célèbre enquêtrice, d'un non moins célèbre auteur de romans policiers et d'une femme remarquable que son talent pour résoudre les énigmes a transformée en détective amateur ? *Peu de gens*, je vous l'assure ! Mais Ivy Pickering est fière de le dire : ils sont tous à mes côtés ! »

Éric resta bouche bée. Il avait fait la connaissance des trois couples un peu plus tôt, lorsqu'il avait été forcé de donner sa cabine aux Meehan, mais il ignorait que les invités d'Alvirah comprenaient le chef de la Brigade des affaires spéciales de New York. L'inquiétude le saisit – Tony ressemblait trait pour trait à l'ancien champion de boxe devenu écrivain. Sa disparition faisait la une du journal télévisé et sa photo s'étalait dans tous les médias. Jack Reilly allait-il soupçonner quelque chose, deviner que l'homme que Pickering avait vu n'était pas l'écrivain décédé, mais un criminel évadé ? Grâce à Dieu, Ivy avait déclaré que le fantôme sautillait sur place en caleçon. Éric espéra que Jack Reilly ne ferait pas le rapprochement. Pendant une seconde affreuse, il s'imagina en prison, enfermé dans une cellule sans fenêtre et, à plus forte raison, sans balcon. Il fallait qu'il trouve les deux compères avant que quelqu'un d'autre ne les remarque ! Il savait qu'ils ne pouvaient pas être restés dans la chapelle, mais il voulait le vérifier quand même ; ensuite il explorerait tout le bateau.

Il parvint à sourire. « Eh bien, nous pouvons nous sentir en sécurité avec de telles vedettes du maintien de l'ordre à bord, dit-il. À présent, si vous voulez bien m'excuser… » Il passa devant eux et se dirigea vers l'escalier qui menait sur le pont.

« Il ne va pas voir M. Crater, se dit Dudley. L'infirmerie est située au dernier pont inférieur. Que manigance-t-il ? »

Pendant les dix minutes qui suivirent, Éric parcourut la chapelle, jeta un coup d'œil dans la suite de son oncle – bien que la porte fût fermée à clef et que personne n'ait pu y pénétrer – et vérifia tous les recoins imaginables. Aussi vaste que soit le *Royal Mermaid*, les endroits où se planquer étaient peu nombreux. Chaque fois qu'Éric apercevait un Père Noël, il se précipitait vers lui, chaque fois déçu. « Ils doivent être morts de faim à l'heure qu'il est, se dit-il. Se pourrait-il qu'ils aient pris le risque de chercher quelque chose à manger ? »

Éric consulta sa montre et se rendit compte qu'il était trop tôt et que le buffet n'était pas encore ouvert. « Je ferais mieux de redescendre et d'aller prendre des nouvelles de Crater, pensa-t-il. Ensuite, j'irai faire un tour du côté du Lido. »

111

20

Nora et Luke s'excusèrent de ne pas accompagner leurs amis au piano-bar pour un dernier verre.

« Nous sommes arrivés tard hier soir et nous nous sommes levés tôt ce matin, expliqua Nora. Nous vous verrons tous au petit déjeuner. »

Willy bâilla. « Alvirah, ton énergie suffirait à regonfler un régiment. Vois-tu un inconvénient à ce que je me retire moi aussi ? »

La mort dans l'âme, Ivy voyait s'éloigner la perspective d'une soirée intime avec les célébrités. Elle sentit son moral remonter en entendant Alvirah répondre : « Ne m'attends pas, Willy, je ne resterai pas longtemps.

— Je vais nous trouver une table tranquille », promit Dudley.

À l'entrée du bar, Ivy repéra un couple assis près d'une fenêtre. « Oh, voici la femme qui partage ma cabine, Maggie Quirk, s'exclama-t-elle. Mais qui est ce Père Noël, avec elle ?

— Je ne peux vous le dire avec certitude, lui répondit Dudley. Mais je pense que c'est Ted Cannon. C'est un des plus grands de la bande.

— Voulez-vous les inviter à nous rejoindre ? demanda Regan à Ivy.

— Non », fit Ivy d'un ton décidé.

Elle l'aimait bien, mais elle s'était moquée d'elle tout autant que les autres quand elle leur avait raconté l'apparition de Louie Crochet du Gauche. En outre, elle cherchait une occasion de parler en privé avec Regan, Jack et Alvirah. Dudley la gênait peu – le malheureux avait l'air au bout du rouleau.

Dudley les conduisit à une table d'angle. Il fit un geste théâtral à l'adresse d'Alvirah. « Madame Meehan, où souhaitez-vous vous asseoir ?

— Jamais le dos à la porte, dit Alvirah en riant. Je ne veux rien manquer.

— Vous n'êtes pas la seule », murmura Regan.

Elle taquinait toujours Jack qui, en raison de son métier, ne s'asseyait jamais face au mur. Si bien que s'ils ne pouvaient trouver une banquette et s'asseoir côte à côte, la vue de Regan se trouvait restreinte à Jack, ce qui, faisait-il remarquer, « suffirait à ravir n'importe qui ».

« Dudley, voulez-vous vous asseoir à côté de moi ? proposa Alvirah. Nom d'un chien ! dit-elle en s'accrochant à une chaise. La mer devient mauvaise.

— La mer est une femme imprévisible », dit Dudley d'un air sentencieux en aidant Alvirah à s'installer. « Comme la plupart des femmes », ajouta-t-il en haussant les sourcils. « Nous autres pauvres hommes ne savons jamais à quoi nous attendre. N'est-ce pas, Jack ? »

L'expression de Jack amusa Regan. Elle savait qu'il était irrité d'entendre Dudley insinuer qu'ils appartenaient à la même espèce. Jack lui avait dit qu'il tenait Dudley pour un inoffensif gaffeur.

Alvirah regretta de ne pas porter sa broche en forme de soleil munie d'un microphone. Elle avait souvent capté des conversations qui s'étaient révélées intéressantes quand elle en repassait tranquillement l'enregistrement.

Dès qu'ils eurent tous pris place, un serveur apparut comme par magie et prit leurs commandes.

Alvirah se tourna vers Dudley. « La journée a été rude, n'est-ce pas ? » demanda-t-elle avec sympathie. « A-t-on entendu parler de ce serveur qui a fait le saut de l'ange dans le port de Miami ? »

Dudley sentit son estomac se nouer. Il n'avait pas eu le courage d'aller jusqu'à son bureau et d'y consulter ses e-mails. Heureusement, le système de communication du bord ne pouvait que rarement relayer les stations de télévision locales. Il savait que le bureau de la compagnie à Miami avait probablement déjà cherché à le contacter à propos de l'incident qui avait fait la une des journaux télévisés du soir. « Je suis comme Scarlett O'Hara, admit-il en lui-même à regret, j'y penserai demain. » Il fut à même de répondre honnêtement à Alvirah : « Je n'ai rien entendu dire de nouveau. Comme le Commodore l'a expliqué, son délit était de nature privée. L'homme était en retard dans le paiement de sa pension alimentaire. »

Ivy agita un doigt. « C'est un des avantages de n'avoir jamais rencontré la personne idéale. Je n'ai pas eu à me soucier d'un ex dans la dèche. Quand j'étais petite, papa confiait tous les vendredis le chèque de son salaire à ma mère, et elle lui donnait son argent de poche. Cela a marché jusqu'au jour où il a demandé une augmentation. » Elle sourit au serveur qui déposait devant elle un martini à la pomme. Impatiente d'y goûter, elle but une gorgée. « C'est incroyable ce qu'on arrive à faire avec des pommes », dit-elle. Puis elle s'excusa. « Oh, j'aurais dû attendre que tout le monde soit servi. Je suis tellement nerveuse, mais je me sens en sécurité en votre compagnie. » Dès que tous les verres furent remplis, elle leva le sien. « Portons un toast !

— Santé ! » dirent-ils tous en chœur au moment où un premier grain fouettait les fenêtres.

« Je n'aimerais pas être dehors, déclara Regan tandis que le bateau commençait à rouler bord sur bord. Vous entendez ce vent ! Il commence à hurler. C'est une vraie tempête qui s'annonce, n'est-ce pas, Dudley ?

— Je vous l'ai dit, la mer est imprévisible, répondit Dudley en serrant son verre. J'ai essuyé de nombreuses tempêtes inattendues de ce genre. Si celle-ci leur ressemble, elle se calmera aussi vite qu'elle est venue. C'est ce que je prédis.

— Tant qu'il n'y a pas d'icebergs dehors, dit Ivy gaiement. J'ai eu assez d'émotions pour la soirée. Tiens, voilà Benedict Arnold[1].

— Qui ça ? demanda Regan, stupéfaite.

— Maggie, ma compagne de cabine. »

Maggie Quirk traversait la salle et venait dans leur direction escortée par Ted Cannon, qui avait ôté sa

---

1. Allusion au général Benedict Arnold qui, en 1780, trahit son unité navale en échange d'une grosse somme d'argent et d'un poste dans l'armée anglaise. (*N.d.T.*)

barbe et son bonnet. « Ouh ! là, là ! » s'écria-t-elle, tandis que le bateau roulait brusquement.

Elle s'accrocha au bras de Ted.

« Il n'y a pas le moindre roulis, Maggie, lui lança Ivy, C'est le produit de ton imagination ! »

Maggie sourit en s'approchant de la table. « Ivy, je suis désolée. Au début, nous avons tous cru que tu avais inventé cette histoire parce que tu mourais d'envie de monter une pièce policière à bord. Tout le monde reconnaît maintenant que quelque chose t'a vraiment effrayée.

— Il se passe certainement un truc étrange », admit Jack, se levant en même temps que Dudley.

On fit les présentations et des chaises supplémentaires furent approchées de la table.

« Ted sait que nous partageons une cabine, et il m'a demandé si j'étais au courant de ce qui se passait », expliqua Maggie.

Alvirah remarqua le bonnet que Ted tenait à la main. « Voilà d'où il vient ! s'exclama-t-elle.

— D'où vient *quoi* ? » demanda Regan.

Alvirah fouilla dans sa poche. « Le grelot que nous avons trouvé dans la chapelle. Il est identique à ceux qui sont accrochés à la pointe du bonnet de Ted. » Elle se tourna vers Dudley. « Ces bonnets sont censés avoir combien de grelots ? »

Dudley hésita. « Deux.

— Un individu coiffé d'un de ces bonnets s'est trouvé dans la chapelle à un moment donné, dit Alvirah. Dudley, nous devrions vérifier les huit bonnets que portent les Pères Noël et voir s'ils ont tous leurs deux grelots. Si c'est bien le cas, alors il semblerait que quelqu'un portant un des costumes volés se soit trouvé dans la chapelle. »

Regan regarda Dudley avec insistance. Il s'était certainement rendu compte que ce grelot venait d'un des bonnets. Il ne l'avait pas mentionné plus tôt. « Celui ou ceux qui ont volé ces déguisements se promènent apparemment en toute liberté sur le bateau en jouant leur rôle de Pères Noël, et Dudley ne souhaite pas que nous le sachions, songea-t-elle. Dans ce cas, les faux Pères Noël étaient-ils impliqués dans la scène qu'avait vue Ivy ? »

Un autre coup de roulis renversa leurs verres.

« C'est le moment d'arrêter les frais », dit Jack comme ils s'écartaient tous de la table dégoulinante. « Faites attention. La tempête paraît empirer. »

Feignant une jovialité qu'il n'éprouvait pas, Dudley annonça : « Ne vous inquiétez pas. Vous êtes en sûreté dans cette vieille baignoire. »

L'avertissement de la voyante traversa l'esprit d'Alvirah. « *Je vois une baignoire. Une grande baignoire. Vous n'y êtes pas en sécurité...* »

21

« C'est dingue ! » s'écria un Tony furieux tandis que Highbridge et lui se tassaient derrière l'étable du golf miniature, assaillis par la pluie. « Nous allons être trempés jusqu'aux os. Et quand il fera jour, qu'allons-nous faire ? Même si la pluie s'arrête, nous ressemblerons à deux rats crevés. Il sera hors de question alors de déambuler dans ces costumes de Père Noël. »

Highbridge songeait avec regret à sa propriété de Greenwich avec son jacuzzi bouillonnant dans la grande salle de bains et sa vue sur le Long Island Sound. « J'avais hérité d'une grosse fortune, je n'avais certes pas besoin de rouler les épargnants, pensa-t-il. Mais je trouvais ça excitant. » À présent, tout mouillé et pitoyable dans son déguisement, il se rendait compte qu'il aurait dû suivre une psychanalyse et se débarrasser de ses instincts criminels. Et tout l'argent que lui avait extorqué son ex-petite amie, cette croqueuse de diamants qui maintenant dévalait les pentes d'Aspen avec un autre ! S'il n'arrivait pas à atteindre Fishbowl Island, il était sûr d'une chose – elle ne serait jamais sélectionnée pour une croisière de ce genre pour lui avoir rendu visite en taule. La perspective de troquer ses costumes Armani contre la combinaison orange des prisonniers décupla son anxiété.

« Éric doit être à notre recherche, dit-il. Il risque aussi sa tête si on nous trouve. »

À ce moment, les ailes du moulin du neuvième trou, qui tournoyaient jusque-là à toute allure, furent projetées en l'air et atterrirent à quelques centimètres de leurs pieds.

22

Éric se jura que s'il rencontrait Alvirah Meehan sur un pont désert il la balancerait sans hésiter par-dessus bord. Sans elle, Tony et Highbridge seraient en ce moment même confortablement installés dans sa cabine, repus, et lui-même serait sur le point de toucher son dû. Du train où allaient les choses, il pouvait faire une croix sur la seconde moitié de la somme lorsque le gang récupérerait ses patrons au large de Fishbowl Island. Et il pour-rait même s'estimer heureux si l'un d'eux, une fois en sûreté hors des États-Unis, n'écrivait pas une lettre aux autorités révélant comment ils avaient pu quitter le pays.

Éric se jura aussi que s'il rencontrait Dudley sur un pont désert, il le balancerait à la flotte avec plus de plaisir encore ! Toutes ces idées tournaient dans son esprit, alors qu'il était forcé d'abandonner momentanément ses recherches pour aller s'enqué-rir de la santé de Crater. S'agrippant à la ram-barde, il dégringola les escaliers les uns à la suite des autres afin d'atteindre ce qui tenait lieu de centre médical dans les entrailles du navire. Les mouvements du bateau avaient beau s'atténuer à mesure qu'il descendait, il dut se tenir fermement à la rampe de la coursive qui menait à l'infirmerie.

S'attendant à trouver une salle d'attente déserte, Éric fut désagréablement surpris de la découvrir bondée de passagers nauséeux venus chercher des médicaments contre le mal de mer. Bobby Grimes, dont les propos avinés avaient défrayé les conversations pendant le cocktail de réception, se tenait la tête dans les mains. Quand il aperçut Éric, il lui lança : « Je savais bien que j'aurais mieux fait de rester chez moi. »

« Et moi donc, pensa Éric en se dirigeant vers la porte qui menait au bureau de Gephardt et aux salles de soins. L'infirmière de service triait des médicaments. Elle était aussi avenante qu'un chien de garde. Levant les yeux sur Éric, elle fronça les sourcils d'un air désapprobateur.

« Mon oncle m'a demandé de venir m'entretenir avec M. Crater, lui dit-il. Dans quelle chambre se trouve-t-il ?

— La deuxième sur la droite, répondit-elle sèchement. Le Dr Gephardt est avec lui. »

La porte de la chambre de Crater était ouverte. Gephardt se tenait à côté du lit. Éric l'entendit dire : « Cette injection va calmer les douleurs de votre dos, monsieur Crater. Elle devrait aussi vous aider à dormir.

— Je veux retourner dans ma cabine, protesta Crater d'une voix pâteuse.

— Pas ce soir, dit Gephardt d'un ton ferme. Vous avez mal au dos et nous allons essuyer une tempête. Il ne manquerait plus que vous tombiez à nouveau. Ici, en bas, vous êtes dans la partie la plus calme du bateau, et nous pourrons garder un œil sur vous. »

Crater voulut s'asseoir mais retomba immédiatement en arrière en gémissant.

« Vous voyez bien ! dit Gephardt. L'injection va faire de l'effet dans quelques minutes. Maintenant détendez-vous. »

Éric frappa à la porte pour manifester sa présence et s'approcha du lit. « Monsieur Crater, nous sommes désolés de l'accident qui vous est arrivé. Mais vous êtes entre de bonnes mains avec le Dr Gephardt.

— Ces misérables gamines, gémit Crater. Qui a eu l'idée de me coller à leur table ?

— Ne vous inquiétez pas », dit Éric d'un ton apaisant. « À partir de maintenant vous serez à celle du Commodore. Mon oncle est très distrayant.

— C'est exact, renchérit Gephardt. Monsieur Crater, vous avez dit que vos douleurs lombaires ne duraient jamais longtemps. Nous espérons vous remettre sur pied le plus vite possible. Mais vous ne devez plus bouger à présent. Bien entendu, nous pouvons toujours faire venir votre hélicoptère si vous pensez être installé plus confortablement chez vous. »

Le visage de Crater s'assombrit. « Où est mon téléphone portable ? » murmura-t-il en sombrant dans le sommeil.

Gephardt fit un signe de tête à Éric pour le convier à quitter la chambre. Éric le suivit dans son bureau : une idée lumineuse venait de lui traverser l'esprit.

« Il semble bien seul, dit-il avec sollicitude. Voyage-t-il avec quelqu'un ?

— Non, répondit Gephardt. Je suis très étonné. Il souffre de lumbago, certes, mais par ailleurs il n'est pas aussi atteint qu'il en a l'air. Son corps est étonnamment musclé pour son âge et tous ses indicateurs vitaux sont excellents. Je ne comprends pas pourquoi il avait ce grimage sur le visage. Dessous, son teint est coloré, mais ce truc grisâtre lui donne un air cadavérique. »

Éric jeta un coup d'œil sur le bureau de Gephardt. La fiche de Crater s'y trouvait, avec le numéro de sa cabine à côté de son nom. « Vous avez donc décidé de le garder ici pour la nuit ? » demanda-t-il.

Gephardt hocha la tête. « Au moins une nuit. Je sais qu'il préférerait être dans sa cabine, mais avec l'injection que je lui ai faite, il va rester inconscient jusqu'à demain matin. » Il sourit. « Vous rendez-vous compte que la mère des petites Deitz leur a déjà demandé de lui écrire des cartes pour lui souhaiter un prompt rétablissement ? Il les a déchirées sans même les ouvrir. »

Éric se mit à rire, feignant de partager l'amusement de Gephardt.

« À présent, Éric, si vous voulez bien m'excuser, ma salle d'attente est pleine de patients. »

Éric retint un mouvement de colère, vexé qu'un minable comme Gephardt lui signifie son congé. Cela dit, il n'avait qu'une envie, quitter les lieux. Son irritation se dissipa rapidement. Maintenant au moins il avait un plan.

123

Se dépêchant encore plus qu'à l'aller, il gravit quatre à quatre les escaliers qui conduisaient au Lido. Il était quasi désert. « Pas beaucoup de clients pour le buffet ce soir ? demanda-t-il à l'un des serveurs.

— Pas par ce temps.

— Je pensais voir quelques Pères Noël, dit Éric, prenant un ton détaché. Ils ont passé tout leur temps à discuter avec les passagers pendant le dîner et n'ont pas eu l'occasion d'avaler grand-chose.

— Il y en a deux qui sont venus ici très tôt. Nous n'avions pas encore fini de dresser le buffet. Ils ont emporté un peu de raisin et du fromage. »

Le pouls d'Éric s'accéléra. Il s'agissait certainement de Tony et de Highbridge. « Se sont-ils assis à une table ?

— Non, ils ont emporté leurs provisions et sont sortis par-derrière. » Le serveur dirigea son attention vers la table du buffet. « Nous commencerons à débarrasser tôt ce soir. Puis-je vous servir quelque chose ?

— Non, merci, répondit vivement Éric. À bientôt. »

Il savait que le serveur ne comprendrait pas qu'il sorte par la porte de derrière, sous la pluie. Il emprunta donc la galerie intérieure qui menait aux ascenseurs, passa devant ceux-ci et sortit par une porte latérale qui donnait sur le pont. Une pluie battante transperça immédiatement son uniforme. Marchant à quatre pattes pour que les serveurs ne le voient pas franchir le pont, il se dirigea vers l'arrière du bateau. Si Tony et Highbridge se cachaient dans

124

le coin, il lui fallait trouver un moyen de signaler sa présence.

Il attendit d'avoir atteint l'espace réservé aux activités sportives avant d'entonner : « Le Père Noël est arrivé. »

23

Regan et Jack reconduisirent Alvirah jusqu'à sa cabine.

« Vous feriez mieux de vous coucher tout de suite, Alvirah, lui conseilla Jack. Avec un roulis pareil, vous risquez de tomber.

— Ne vous inquiétez pas pour moi, répondit Alvirah. Pendant quarante ans j'ai grimpé sur des tables branlantes pour épousseter les lustres. J'ai toujours dit que j'aurais pu être funambule. »

Regan éclata de rire et posa un léger baiser sur la joue d'Alvirah. « Suivez le conseil de Jack. Nous nous reverrons demain matin. »

En entrant dans sa cabine, Alvirah fut réconfortée par la vision de Willy dissimulé sous un amas de couvertures et ronflant comme un sonneur. La lampe du bureau était allumée. « Je suis trop énervée pour dormir, se dit-elle. Et, de toute façon, je veux enregistrer les événements de la journée pendant qu'ils sont encore frais dans ma mémoire. Charlie, mon rédacteur en chef, m'a dit que si je trouvais quelque chose de passionnant à raconter sur cette croisière, il le publierait volontiers, mais il ne voulait ni d'un journal de bord ni d'une apologie des bons sentiments. »

« J'admire toutes les bonnes actions que ces gens ont accomplies, lui avait-il dit, mais ce n'est pas cela qui fait vendre un journal. »

« Eh bien, disons que la journée a été plutôt mouvementée », pensa Alvirah. Elle retira du coffre-fort sa broche soleil où se dissimulait un micro et s'installa devant le bureau.

« Lorsque nous sommes arrivés à bord, ils n'avaient même pas de cabine pour nous », commença-t-elle.

« Mmmmm. » Elle entendit Willy bouger dans son dos. « Il est capable de dormir au milieu des hurlements de la sirène d'alarme, pourtant avec cette houle, le son de ma voix risque de le réveiller, se dit-elle. Je vais sortir. »

Dans la coursive, Alvirah s'agrippa à la rampe d'une main, approcha la broche de sa bouche de l'autre et relata par le menu les incidents de la journée : le cafouillage concernant les cabines, la chute de Dudley, le plongeon du serveur, la disparition des costumes de Père Noël, la rencontre d'Ivy avec un fantôme. Elle fit une pause puis ajouta un détail : « Il est étrange que Dudley n'ait pas immédiatement relevé que le grelot que nous avons trouvé dans la chapelle provenait, apparemment, d'un des bonnets de Père Noël. C'est un point qui mérite réflexion. »

Alvirah arrêta son enregistreur et regagna la cabine. Dans la salle de bains, elle se démaquilla, se lava les dents et enfila une chemise de nuit. Elle se glissa dans le lit près de Willy et elle était sur le point d'éteindre la lumière quand elle remarqua dans un pli de la couverture les cartes avec lesquelles Willy avait fait sa réussite. Elle les ramassa, avec l'intention de les remettre dans le tiroir de la table de nuit, quand un détail attira son attention.

« C'est bizarre », dit-elle tout haut. La carte du dessus était le valet de cœur, mais elle avait quelque chose d'inhabituel. La tête du valet était entourée d'un cadre qui ressemblait à un dessin abstrait. Alvirah l'examina. Mue par son intuition, elle emporta le jeu dans la salle de bains et alluma la lumière. Un miroir grossissant était fixé à la paroi près du lavabo. Elle en approcha le valet de cœur. Dans le miroir, ce qui ressemblait à un dessin abstrait se révéla être une série de chiffres.

« C'est bien ce que je pensais ! » s'exclama-t-elle en passant rapidement en revue le reste du jeu. Il lui apparut vite que seules les figures étaient ornées de ce genre de motifs. Elle mit à part les valets, les dames, et les rois, et approcha ces cartes-là du miroir l'une après l'autre. Chacune possédait une série de chiffres différent. « Que représentent ces chiffres et à qui appartiennent ces cartes ? se demanda-t-elle. Quand nous les avons montrées à Éric, il a paru si indifférent et pressé que j'ai vraiment cru qu'il ne les avait jamais vues. »

Hummm. Alvirah se repassa en esprit les événements de la journée et se rappela la surprise de Winston quand il avait trouvé des chips sur le tapis de la cabine d'Éric. Et voilà qu'il y avait un jeu de cartes mystérieux dans son tiroir. Quelqu'un d'autre aurait-il utilisé la cabine d'Éric ? Peut-être avait-elle servi officieusement de lieu de repos aux ouvriers qui terminaient les travaux sur le *Royal Mermaid* la semaine passée ? « Je ne saurais les blâmer, songea-t-elle. Après la suite du Commodore, c'est la meilleure cabine du bateau. »

Mais instinctivement Alvirah savait que ce n'étaient pas des ouvriers qui avaient utilisé cette pièce.

« Il se passe quelque chose à bord », se dit-elle en se recouchant, et je suis curieuse de savoir quoi.

24

Bianca Garcia avait été engagée à Channel 82, une chaîne d'information locale de Miami, au mois de septembre. Jeune, enthousiaste, ambitieuse, elle était décidée à se faire un nom à la télévision. Jusque-là, on ne lui avait confié que des sujets mineurs, dont la plupart avaient droit à trente secondes de temps d'antenne. Elle avait été chargée de couvrir le départ de la Croisière de Noël, et s'attendait à passer un après-midi soporifique, sans rien d'intéressant à glaner.

Mais quand le serveur avait sauté par-dessus bord et que son équipe avait filmé toute la scène, elle s'était dit qu'elle tenait le genre de sujet qui pouvait faire du bruit. À sa grande déception, son reportage n'avait pas été diffusé au journal de dix-huit heures. Tout ça parce qu'un semi-remorque s'était retourné sur l'autoroute, répandant son chargement de produits laitiers sur la chaussée et occasionnant un embouteillage monstre. Mais, comme le disait sa grand-mère : « Quand on est emmouscaillé, c'est que Dieu l'a voulu. » Chère vieille grand-mère. Malgré son grand âge – elle avait quatre-vingt-cinq ans –, c'était toujours vers elle que Bianca se tournait pour tester ses idées.

Et bingo, après le journal de dix-huit heures, le producteur avait dit : « Bianca, j'en ai marre de toutes ces histoires de carambolages. Je peux te donner plus de temps dans le programme de dix heures. »

Durant toute la soirée, Bianca était restée en liaison étroite avec le contact qu'elle avait à la police pour savoir si le plongeon du serveur avait été occasionné par autre chose qu'un simple retard dans le paiement de sa pension alimentaire. En effet, il y avait autre chose.

De son côté, elle avait fait des recherches sur l'histoire du *Royal Mermaid*. À dix heures moins le quart, s'apprêtant à présenter ce qui était devenu un fait divers beaucoup plus sensationnel que prévu, Bianca se remaquilla rapidement et donna un coup de brosse à ses longs cheveux noirs. Pendant la pause publicité, elle parcourut nonchalamment la salle de rédaction, se jucha sur le tabouret à la droite du bureau de la présentatrice, et croisa ses jambes ravissantes.

« Salut, Mary Louise », dit-elle d'un ton charmeur à la femme qui était responsable depuis dix ans de l'émission de dix heures, *The Mary Louise Show*. Bianca avait l'intention de prendre bientôt sa place, puis de continuer son ascension vers des postes plus importants.

Mary Louise n'était pas née de la dernière pluie. Elle s'était débarrassée d'autres nouveaux venus aux dents longues, dont certains avaient d'ailleurs renoncé au journalisme après un court séjour à la station. En fait, elle avait déjà pris des mesures pour donner un coup d'arrêt aux manœuvres de Bianca. Elle eut un mince sourire. « Salut, Bianca. J'ai entendu dire que tu avais une jolie petite histoire de bateau de croisière à nous proposer.

— Je suis certaine qu'elle va vous plaire », promit Bianca tandis que le producteur signalait à Mary Louise que la publicité était terminée.

« C'est la saison des vacances, commença Mary Louise, et notre reporter Bianca Garcia s'est rendue sur le port de Miami pour souhaiter bon voyage à un groupe de personnalités très particulières, qui prennent part à la "Croisière de Noël". » Mary Louise leva un doigt de chaque main pour figurer les guillemets. « Bianca, je crois que vous avez quelque chose de passionnant à nous raconter. »

Bianca adressa un sourire éclatant à la caméra. « En effet, Mary Louise. La réception de bienvenue à bord fut un peu particulière... » Elle expliqua rapidement en quoi consistait cette Croisière de Noël, organisée en l'honneur de généreux donateurs à des causes charitables. Un groupe – les Écrivains et Lecteurs de l'Oklahoma – célébrait le quatre-vingtième anniversaire de la naissance du légendaire auteur de romans policiers, Louie Crochet du Gauche. Une photo des Meehan et des Reilly apparut à l'écran, tandis que Bianca déroulait la liste des célébrités participant à la croisière.

Puis, avec brio, elle raconta l'histoire du serveur, Ralph Knox, qui avait tenté de fuir la police en sautant par-dessus bord. « Les passagers se sont précipités vers le bastingage, prenant des paris sur la réussite de sa tentative. Soyez rassurés, il n'a pas échappé à la police du port.

« Au début, on a cru que Knox était poursuivi parce qu'il n'avait pas payé la pension alimentaire qu'il devait à son ex-femme – beaucoup d'entre vous, mesdames, connaissent le problème, n'est-ce pas, Mary Louise ? » fit-elle en se tournant vers le bureau de la présentatrice. Sans attendre sa réaction, elle poursuivit : « Or il se trouve que Ralph Knox est aussi un escroc de haute volée dont la spécialité est de séduire de riches passagères à bord de bateaux de croisière. À ce jour, sept mandats d'arrêt ont été lancés contre lui. On l'accuse d'avoir incité ses victimes à investir des centaines de milliers de dollars dans des projets mirobolants qui ne se sont jamais concrétisés. »

Bianca fit une pause pour reprendre son souffle. « Comme si ces émotions ne suffisaient pas, le directeur sportif a fait une chute au cours d'une démonstration d'escalade. Un piton mal fixé sur la paroi a cédé sous son poids et l'homme qui était chargé de l'assurer a lâché la corde de sécurité attachée à son harnais. »

Une séquence apparut sur l'écran montrant Dudley tombant sur ses fesses avec un bruit sourd.

« Ouille », fit Bianca. Puis elle rappela brièvement l'historique du bateau qui avait connu auparavant deux propriétaires. Il avait été construit pour Angus « Mac » MacDuffie, un magnat du pétrole de Palm Beach, un excentrique qui avait rapidement connu des jours difficiles. Bien qu'il n'ait pas les moyens de conserver le bateau, il avait refusé de s'en séparer. De surcroît, il l'avait fait tirer à terre sur un terrain bordant sa propriété à moitié en ruine, l'étrave face à la mer.

Une photo de MacDuffie remplit l'écran, casquette de yachting rabattue sur le front, le visage à demi dissimulé par des lunettes noires, portant un short long écossais et des chaussures de bateau. Bianca continua : « MacDuffie passa les dernières années de sa vie assis sur le pont, à scruter l'horizon avec ses jumelles et à aboyer des ordres à un équipage inexistant. Quand il rendit son dernier soupir, ce fut à l'endroit où il avait souhaité être : sur le pont. La phrase qu'il avait répétée à maintes reprises : "Jamais je n'abandonnerai le navire", donna naissance à la rumeur suivant laquelle son fantôme hantait le bateau.

« Les propriétaires suivants, à la tête d'une petite société, avaient l'intention d'utiliser le yacht pour distraire leurs clients. Ils firent le minimum de réparations lui permettant de prendre la mer, appareillèrent pour une sortie d'essai, et l'échouèrent. La société fut dissoute peu après. Les administrateurs se reprochèrent mutuellement de l'avoir acheté, mais se défendirent en publiant un communiqué qui disait : "MacDuffie a jeté un mauvais sort à ce bateau. Il ne pouvait supporter que quelqu'un d'autre en profite. Nous ne serions pas surpris que la malédiction continue à peser pour toujours sur ce pauvre navire." Leur a succédé l'actuel propriétaire, le commodore Randolph Weed. Faisant fi du passé malheureux du *Royal Mermaid*, il a déclaré que son bâtiment était "une ancienne gloire qui avait seulement besoin de soins affectueux et attentifs". »

Sur le point de conclure, Bianca demanda vivement : « Le commodore Weed a-t-il raison ? Ou serait-il possible que le fantôme d'Angus MacDuffie soit revenu sillonner les océans en compagnie des passagers de la Croisière de Noël ? Si c'est le cas, son drink favori, un gin tonic, ne lui sera pas apporté par le serveur qui est passé par-dessus bord, laissant derrière lui un sillage de champagne et de cristal brisé. Nous vous tiendrons au courant des développements sur cette croisière des "bienfaiteurs". En fait, vous pouvez vous estimer heureux de ne pas avoir mérité une place à bord de ce bateau ! » Avec une expression amusée et un clin d'œil complice, Bianca se pencha légèrement en avant. « Et n'oubliez pas. Je suis toujours contente d'avoir de vos nouvelles. Mon adresse e-mail est en bas de l'écran. »

« Merci, Bianca », dit Mary Louise d'un ton condescendant. « À présent, Sam va nous dire comment se comporte cette tempête qui balaye les Caraïbes. D'après ce que nous pouvons voir sur cette carte, les passagers de la Croisière de Noël doivent en ressentir les premiers effets... »

De retour à son bureau, Bianca consulta ses e-mails. Elle avait généreusement distribué sa carte au cocktail de bienvenue à bord du *Royal Mermaid*, laissant entendre que potins et anecdotes seraient les bienvenus. Elle ouvrit un e-mail d'une certaine Loretta Marron qui faisait partie des Écrivains et Lecteurs de l'Oklahoma. Elle avait longuement entretenu Bianca du fait qu'elle avait été rédactrice du journal de son lycée, quarante ans auparavant.

Chère Bianca,

Les nouvelles vont vite ! Un des membres de notre groupe, Ivy Pickering, jure avoir vu le fantôme de Louie Crochet du Gauche, l'auteur que nous honorons durant cette croisière. Il était dans la chapelle et sautillait sur place comme s'il voulait se préparer à un prochain combat. Je joins sa photo, que vous pouvez télécharger. Au début, nous avons cru qu'Ivy plaisantait. Mais à présent beaucoup d'entre nous s'interrogent – et si le fantôme de Louie errait sur ce bateau ? Deux costumes de Père Noël ont déjà mystérieusement disparu de la réserve qui était pourtant fermée à clef. Louie a-t-il trempé dans cette affaire ?

Je vous tiendrai au courant de la suite. À propos, appelez-moi simplement Brenda Starr[1] !!!

Loretta

Bianca était surexcitée. Elle avait appris dans les manuels de journalisme que tout le monde se passionne pour les phénomènes paranormaux. Et voilà qu'elle en tenait un – et elle avait déjà préparé le terrain en parlant du vieux MacDuffie. Elle téléchargea sans attendre davantage la photo de Louie Crochet du Gauche et n'en crut pas ses yeux. On y voyait un homme à la forte carrure assis devant une machine à écrire, portant un short écossais et des gants de boxe. Bianca prit la photo de MacDuffie, tout aussi corpulent, arpentant le pont de son yacht

---

1. Brenda Starr : journaliste-détective, personnage de bande dessinée des années cinquante. (*N.d.T.*)

en short écossais, ses jumelles à la main. « Il a dit qu'il n'abandonnerait jamais son bateau, se souvint Bianca. *Exit* Louie Crochet du Gauche. Mac est le fantôme qui hante ce bateau ! »

Elle avait déjà en tête le titre de la suite de son reportage : *Y a-t-il à bord du* Royal Mermaid *un passager que personne n'a invité ?*

25

Dudley était à peine entré dans sa cabine que son bipeur se mit à sonner. Il n'eut pas besoin de vérifier pour savoir que c'était le Commodore qui l'appelait. Sa montre indiquait onze heures juste. Quand il était à terre, Dudley aimait regarder les informations. Ce soir il se félicitait qu'elles ne soient pas encore parvenues à bord. Il refusait même de penser à ce que pouvait raconter cette journaliste de la station de Miami qui avait assisté au cocktail de bienvenue dans l'après-midi. Il le saurait bien assez tôt.

Il décrocha le téléphone posé sur sa table de nuit et composa le numéro de la suite du Commodore. Ce dernier grommela un « allô » peu amène.

Faisant appel à ses talents de comédien, Dudley prit un ton badin : « Commodore Weed, votre directeur de croisière favori à l'appareil. Que puis-je faire pour vous ?

— Ce n'est pas le moment de faire de l'esprit, gronda le Commodore. Venez me rejoindre en vitesse. J'ai reçu des appels catastrophiques depuis le continent concernant le reportage sur la croisière et sur ce serveur de malheur que vous avez engagé !

— J'arrive tout de suite, promit Dudley. Nous allons régler le problème, monsieur... »

Le Commodore avait déjà raccroché.

Dudley avait beau détester sa cabine, il contempla son lit avec regret. Se déshabiller. Prendre une douche. Se glisser sous les couvertures. Ce n'était certes pas pour maintenant.

Winston ouvrit la porte de la suite du Commodore, arborant cette expression solennelle qui avait le don d'exaspérer Dudley. « Tout ça n'empêchera pas la terre de tourner, pensa Dudley ironiquement. Prends-en ton parti, mon vieux, comme de tout le reste en ce moment. » Il passa, imperturbable, devant Winston et pénétra dans le salon. Le Commodore arborait son air d'amiral de la flotte, épaules rejetées en arrière, mains jointes derrière le dos, regardant par la fenêtre. Quand il se retourna, Dudley eut un choc en voyant que le vieil homme avait les larmes aux yeux. Le Commodore pointa le doigt vers Miami. « Ils ricanent, Dudley. Ils se rient de nous. J'ai reçu quatre appels tout récemment. Savez-vous ce qu'ils disent à la télévision ? "Vous pouvez vous estimer heureux de ne pas avoir mérité cette Croisière de Noël !" Heureux d'être perdant ! Mais c'est *moi* qui perds dans cette histoire. Des fortunes. Et maintenant votre grande idée tourne à la catastrophe. Ce maudit serveur est en train de raconter aux flics que cette croisière est une farce. Il leur raconte que l'équipage est truffé de repris de justice. » La voix du Commodore s'étrangla. « Ils ont même passé une vidéo vous montrant sur les fesses au pied du mur d'escalade. La présentatrice a eu le culot de vous appeler "directeur sportif". »

Dudley semblait frappé d'horreur. « Ils ont montré cette vidéo ? Le serveur s'enfuyant à la nage ne leur suffisait pas ?

— Apparemment, non. Nous sommes la risée de Miami, et Dieu sait dans quels autres endroits cette séquence a bien pu être diffusée. Ces reportages sont vus et revus des millions de fois sur Internet. »

« Jamais je ne pourrai me montrer à la prochaine réunion des anciens du lycée », pensa Dudley. « Pourtant, monsieur..., commença-t-il. On dit souvent que n'importe quelle publicité est une bonne publicité.

— Pas dans ce cas ! Où est Éric ?

— Je ne sais pas.

— Il ne répond pas à son biper. Je veux le voir.

— Monsieur, j'ai une question.

— Laquelle ?

— Ils n'ont pas mentionné la vision de Mlle Pickering, j'espère ? »

Les yeux embués du Commodore se gonflèrent encore davantage. « Non. Mais je suis certain que cette histoire sera reprise dans les nouvelles du matin. Combien de nos âmes charitables sont en ce moment même pendues à leur téléphone portable en train de raconter tout ce qui s'est passé depuis que nous avons quitté Miami ?

— Monsieur, le continent est hors de portée des téléphones portables. Seuls les téléphones spéciaux disposant d'une couverture mondiale peuvent encore recevoir et transmettre des conversations.

— Alors ils appellent depuis leurs cabines ! Je suis certain que quelqu'un parviendra à passer un message ! Faites venir Éric ! Il faut que nous soyons prêts à répondre dignement à cette rumeur scandaleuse. »

26

« Est-ce que tu entends ce que j'entends ? demanda Tony Bille en Tête à Highbridge, recroquevillé en position fœtale.

— Ce n'est pas le moment de chanter des airs de Noël, maugréa Highbridge, tandis que la pluie criblait sans relâche la plus petite parcelle de leur corps.

— Non, espèce d'idiot. Je crois que c'est Éric qui chante. Écoute.

— Comment veux-tu entendre quoi que ce soit avec ce vent ?

— Ferme-la. Il doit être en train de nous chercher. »

Le faible écho de la voix d'Éric parvenait jusqu'à eux. Highbridge tendit l'oreille pour distinguer plus clairement les paroles.

« Le Père Noël est arrivé,
Soyez sages, vous serez exaucés... »

« Il chante faux, grommela Highbridge.

— Il essaye de nous trouver, répliqua Tony. Tu t'imagines qu'il va crier nos noms ? »

Les deux hommes se mirent péniblement debout et risquèrent un coup d'œil hors du couvert de l'étable. Posté devant le premier trou, Éric chantait à tue-tête.

Tony l'appela :

« Pssst. Nous sommes là. »

Éric s'élança vers eux. « Je vous ai cherchés partout, les gars.

— Bon, vous nous avez trouvés, dit Tony. Et maintenant, qu'est-ce qu'on fait ?

— Un des passagers a eu un accident dans la salle à manger et il est à l'infirmerie. Il va y rester au moins toute la nuit, leur expliqua Éric. J'ai un passe-partout pour entrer dans sa chambre. Suivez-moi, mais nous devons être prudents. Ils sont en train de débarrasser le buffet et il n'est pas question qu'on nous voie. Il faudra passer devant les fenêtres à quatre pattes. »

Trois minutes plus tard, trempés comme s'ils avaient plongé dans l'océan, les trois hommes gagnèrent enfin l'un après l'autre la cabine de Crater.

Highbridge se précipita dans la salle de bains et ouvrit le robinet d'eau chaude de la douche. Tony ôta son costume de Père Noël dégoulinant et apparut dans le caleçon à carreaux écossais que Ivy avait si bien décrit. Il décrocha dans la penderie un peignoir orné de l'insigne du *Royal Mermaid* et l'enfila. Puis il s'empara d'une couverture sur le lit et s'enroula dedans. « Je vais attraper la crève. Est-ce qu'il y a un minibar dans cette foutue cabine ? »

Le bipeur d'Éric sonna. « C'est mon oncle. Il essaye de me joindre. Il y a un minibar dans l'armoire. Je reviens. »

Après le départ d'Éric, Bille en Tête versa le contenu d'une mignonnette de scotch dans un verre et s'assit sur le lit en attendant que Highbridge daigne sortir de la salle de bains. Il allait utiliser toute l'eau chaude du bateau ! Avalant une grande gorgée de scotch, il parcourut la pièce du regard et aperçut une télécommande sur le lit. Il la pointa vers le poste de télévision, ignorant s'il trouverait autre chose qu'une conférence sur Fishbowl Island ou une vidéo de démonstration des mesures à prendre en cas de naufrage. Mais entre-temps l'extrait du journal télévisé destiné au bateau était arrivé et lorsque l'écran s'alluma, Tony vit avec stupéfaction sa propre photo d'identité judiciaire lui faire face.

« Les autorités interrogent en ce moment même Bingo Mullens sur ses liens avec Tony Pinto, qui a disparu de chez lui le jour de Noël. On suppose que Pinto essaye de s'enfuir du pays. D'après un informateur du FBI, Bingo Mullens cherchait quelqu'un qui puisse le faire sortir en douce. »

Le scotch brûla le gosier de Tony. « Bingo est capable de me donner, pensa-t-il. Il finira comme vendeur de chaussures dans un bled perdu, dans le cadre du programme de protection des témoins. »

« Bingo, si jamais tu te mets à table, prononça Tony à voix haute, je te garantis que je te trouerai la peau. À ce jour, le dernier type qui m'a trahi a disparu de la circulation. Mais tu ne m'échapperas pas. Je peux te le jurer. Tu ne m'échapperas pas. »

Quand ils regagnèrent leur cabine, s'apprêtant à se mettre au lit, Regan et Jack commentèrent leur première journée en mer.

« Je n'arrive pas à croire qu'Alvirah nous ait embarqués là-dedans », dit Regan. Debout dans l'embrasure de la porte de la salle de bains, elle se brossait les dents. « J'ose à peine imaginer ce que mon père est en train de dire à maman.

— Tu sais comme moi qu'Alvirah est la reine pour attirer les ennuis, dit Jack en ôtant ses chaussures. Mais avouons que pour une croisière censée récompenser "le gratin de la générosité humaine", il se passe de drôles de choses à bord.

— Tu as raison. Si l'un des membres de l'équipage avait des problèmes avec la loi, ils auraient dû le savoir avant de l'engager. Je me demande ce qu'on va encore découvrir à propos de ce bateau. L'individu qui a dérobé les costumes de Père Noël est certainement toujours parmi nous, et si Ivy a vu quelqu'un, ce quelqu'un n'a visiblement aucune envie de se faire connaître.

— Demain matin, je demanderai à Dudley de me communiquer la liste des passagers et des membres de l'équipage. Le Bureau peut faire une rapide vérification et voir si quelques indices douteux apparaissent. » Jack alluma la télévision. L'extrait du journal télévisé passait en boucle. La photo de Tony Pinto apparut à nouveau à l'écran. « Regan, s'écria Jack, viens voir. »

Regan sortit de la salle de bains. « Quoi ? »

Ils écoutèrent ensemble le journaliste rapporter que l'homme de main de Pinto, Bingo Mullens, était soupçonné d'avoir arrangé sa fuite. « Regarde son visage, dit Jack. Ce type ressemble étrangement à ce boxeur auteur de romans policiers, non ?

— C'est certain. Et il est en cavale. » Regan haussa les sourcils. « C'est peut-être lui qu'Ivy a vu ce soir ? »

Ils éclatèrent de rire.

Un fort coup de roulis inclina le bateau. « S'il est à bord, j'espère qu'il ne va pas tomber nez à nez avec Alvirah, fit remarquer Jack. Ouste ! au lit. »

Regan sourit. « Je ne dis pas non. »

28

Trempé comme une soupe, Éric s'introduisit dans la suite de son oncle, s'attendant à un accueil glacial. Il n'avait pas répondu à son bipeur sur-le-champ, comme son oncle l'exigeait toujours de lui. Pire, il n'avait pas réagi aux trois sommations, ce que le Commodore considérerait comme un acte de mutinerie. Il devait avoir une explication toute prête à lui offrir.

Le Commodore et Dudley étaient installés sur le canapé. Ils lui lancèrent tous les deux un regard noir quand il entra dans le salon. Dudley était visiblement ravi de voir Éric en difficulté.

« Oncle Randolph…, commença-t-il.

— Tu as l'air d'un rat trempé ! aboya le Commodore. Tu sais très bien que j'attends de tout officier qu'il soit impeccable du matin au soir à bord du *Royal Mermaid* ! » Il s'interrompit un instant. « Tant que je peux le garder à flot.

— Monsieur, si je suis dans cet état, c'est parce que je me suis inquiété pour nos passagers. J'ai entendu certains d'entre eux dire qu'ils avaient envie de sortir pour regarder la mer démontée. J'ai parcouru tous les ponts pour m'assurer que personne n'était assez fou pour rester dehors. Je sais que les gens peuvent se montrer stupides parfois, ne pas réaliser le danger.

— Avez-vous trouvé quelqu'un dehors ? demanda Dudley d'une voix monocorde.

— Dieu merci, personne, répondit vivement Éric. Et je suis soulagé de savoir que tout le monde est en sécurité à bord. Les coursives sont désertes. Chacun est bordé pour la nuit, agréablement balancé dans les bras confortables du *Royal Mermaid*, un berceau protecteur sur les flots déchaînés. »

Le Commodore leva la main. « J'ignorais que tu avais un talent de poète, mon garçon. Va ôter ces vêtements mouillés et reviens ici. Vite. Nous avons une crise à résoudre. »

Dans sa chambre, Éric se débarrassa rapidement de ses vêtements et enfila un survêtement. Lorsqu'il regagna le salon du Commodore, celui-ci regardait fixement la petite armoire vitrée sur le mur opposé au canapé.

« Éric, dit-il, désignant l'armoire du doigt. Je ne te l'ai pas dit parce que je voulais t'en faire la surprise. Notre croisière comporte un passager supplémentaire. »

Éric sentit ses genoux faiblir. « Un passager supplémentaire ? Qui ?

— Ta grand-mère.

— Grand-mère ? Elle est morte il y a huit ans !

— Les cendres de votre grand-mère, expliqua Dudley. Elles sont enfermées dans la boîte d'argent que vous voyez dans la vitrine.

— Grand-mère a été incinérée ? demanda Éric, stupéfait.

— C'était son souhait. Dans les dernières heures de sa vie, elle m'a dit qu'elle savait que je réaliserais mon rêve de posséder un bateau de croisière, et que, lorsque ce jour viendrait, elle désirait que j'emporte ses cendres à bord, lors de la première traversée, et que je les répande en mer.

— Personne ne m'en a rien dit, se plaignit Éric.

— Si tu avais assisté à ses funérailles, tu l'aurais su, lui reprocha le Commodore. Mes trois ex-épouses y ont assisté. Elles éprouvaient un grand respect pour ta grand-mère. Ton ex-tante Beatrice, ton ex-tante Johanna, et ton ex-tante Reeney étaient assises sur le même banc, en larmes. Lorsque j'ai parlé à Reeney, il n'y a pas si longtemps, je lui ai dit que le moment était finalement venu et que je prévoyais de disperser les cendres de ta grand-mère durant cette croisière inaugurale. Elle voulait se joindre à nous, mais il y a une limite à ma patience. Et à présent, cette traversée souffre d'une publicité désastreuse...

— Comment le sais-tu ? demanda Éric, le cœur battant. Que dit-on à propos de la croisière ? »

Le Commodore lui fit un compte rendu. « C'est un tel manque de respect pour la mémoire de ta grand-mère. Elle a fait tellement de bien de son vivant que je pensais honorer sa mémoire en lui permettant d'accomplir son dernier voyage non seulement à l'occasion de ma première croisière, mais entourée par de très braves gens. Tout ça s'est transformé en véritable farce... » La voix du Commodore se brisa, et il fouilla dans sa poche à la recherche de son mouchoir. « C'est tellement injuste, dit-il, s'essuyant les yeux. Pas une seule personne n'a payé pour faire ce voyage. Pas une seule ! Et tout le monde se moque de moi ! »

Éric s'assit près de son oncle, passa maladroitement son bras autour de lui, et ne put s'empêcher d'être bouleversé quand le Commodore enfouit la tête dans son épaule. « Là, là, calme-toi, oncle Randolph.

— Ta grand-mère ne mérite pas ça. Au cours du dîner, demain, j'avais l'intention d'annoncer que les cendres de ma chère mère seraient dispersées en mer mercredi matin à l'aube, ce qui aurait été le jour de son quatre-vingt-quinzième anniversaire. Lorsque Dudley a suggéré que nous organisions cette croisière qui me coûte une fortune, le fait que l'anniversaire de ta grand-mère tomberait durant la traversée m'a décidé. Je voulais annoncer à nos passagers qu'il y aurait une brève mais émouvante cérémonie à la chapelle au lever du jour, et que je serais très touché si quelqu'un voulait se joindre à mes prières. Bien sûr, Éric, je sais que tu assisteras à son dernier voyage. Je crois que tu as mûri durant ces huit dernières années. Mais maintenant, je ne sais tout simplement pas quoi faire... »

Éric jeta un regard vers la vitrine. « Bonsoir, grand-mère », dit-il doucement.

Les larmes jaillirent des yeux du Commodore. « Cette belle femme est dans cette précieuse boîte d'argent, fermée à clef.

— Tu as toujours été si protecteur à son égard. »

Le Commodore hocha la tête. « Dans la vie et dans la mort. J'ai entendu des histoires terrifiantes à propos des cendres d'un être cher répandues par des femmes de chambre insouciantes ou stupides. C'est pourquoi j'ai surveillé ces cendres comme la prunelle de mes yeux.

— Où as-tu conservé grand-mère pendant toutes ces années ?

— Son urne était dans une vitrine exactement semblable à celle-ci, dans ma chambre à la maison. Elle est à l'épreuve du feu, de l'eau et des voleurs. Je n'en ai pas beaucoup parlé... c'était trop douloureux. Mais de ma part, ta grand-mère n'a reçu que des preuves d'affection. »

Dudley s'éclaircit la voix : « Monsieur, j'ai traversé bien des crises auparavant et c'est la façon dont la situation est gérée qui importe. Bon sang, je me souviens d'un voyage où nous n'avions ni dessert ni de quoi faire la moindre pâtisserie à bord. Le chef pâtissier était parti sur un coup de tête en nous laissant volontairement dans l'embarras. Il avait annulé toutes les commandes de farine, chocolat, etc. Son remplaçant de dernière minute n'avait pas les ingrédients pour préparer le moindre gâteau. Il y a eu une révolte parmi les passagers, mais nous l'avons tournée à notre avantage. Nous avons organisé des cours de gymnastique vingt-quatre heures sur vingt-quatre et avons offert une croisière gratuite à la personne qui aurait perdu le plus de poids. Résultat : le gagnant l'a emporté de cinquante grammes ! »

Dudley se leva et se mit à arpenter la pièce. « Je suggère que nous diffusions un communiqué de presse ce soir même mettant l'accent sur la noblesse de cette croisière, la merveilleuse histoire de votre mère, et les actions charitables de chaque passager. Si les médias ne peuvent pas comprendre ça, que la honte soit sur eux ! Vous devriez poursuivre votre projet et organiser cette belle cérémonie en hommage à Mme Weed. Demain, un autre communiqué sera diffusé saluant cette nouvelle journée et l'immense chance qu'ont eue ces pique-assiette – je veux dire ces invités – de passer leur première nuit en haute mer à bord de ce superbe bateau. »

Le Commodore s'essuya les yeux et se moucha. « Je suis tellement heureux de vous avoir tous les deux. Croyez-le ou non, je regrette souvent de ne pas m'être remarié. Votre présence est un précieux réconfort pour moi. »

Dudley se leva. « Je vais regagner ma cabine et m'attaquer au premier communiqué.

— Monsieur, vous devriez prendre un peu de repos, dit Éric à son oncle.

— Tout à l'heure. Pour l'instant, je vais m'allonger sur le canapé et demeurer avec ta grand-mère. Il me reste peu de temps à passer avec elle avant qu'elle n'appartienne à l'océan... »

Éric fut pris de panique. Il devait absolument descendre pour surveiller Tony Bille en Tête et Highbridge. Comment sortir de la suite de son oncle ?

« Éric, j'insiste pour que tu prennes une douche chaude et que tu ailles dormir. Il ne manquerait plus que tu tombes malade. Si nous voulons faire de cette croisière un succès, nous devrons tous être au sommet de notre forme. Maintenant, dis bonsoir à ta grand-mère... »

29

Loin de calmer Bille en Tête, le scotch n'avait fait qu'accroître son sentiment de frustration. Il se sentait pris au piège. Si Bingo décidait de le donner, les Fédéraux ne seraient pas longs à débarquer en hélicoptère, ou à aborder en bateau, et ce serait la fin.

Il se leva, se versa un autre scotch, ouvrit le tiroir près de la cave à liqueurs, et y trouva un bocal de cacahuètes, un paquet de biscuits au chocolat et un rouleau de bonbons à la menthe. Il lui fallut à peine une minute et demie pour liquider le tout. Si Highbridge était décidé à utiliser toute l'eau chaude, lui, Tony Pinto, allait de son côté avaler tout ce qui lui tomberait sous la main.

Presque tous les autres tiroirs étaient vides. L'inconnu qui avait habité cette cabine avait emporté un minimum de bagages pour la croisière. Puis, dans le dernier tiroir qu'il ouvrit, Tony trouva un tube de pâte grise. Il lut l'étiquette. C'était un maquillage de scène. Une réaction de méfiance, déclenchée par l'instinct qui lui avait toujours servi, poussa Tony à inspecter le reste de la cabine.

Il alla à la penderie, ouvrit la porte. La lumière s'alluma automatiquement. Trois vestes et un smoking y étaient suspendus. « Du 56, nota-t-il. Pratiquement ma taille. » Il vérifia toutes les poches, et dans la troisième veste ses doigts se refermèrent sur un pistolet. C'était un semi-automatique Glock, son arme préférée. Qui est ce type ? se demanda-t-il, en fourrant le pistolet dans la poche de son peignoir. Puis il leva la main et la passa le long de la planche sous les brassières de sauvetage. Ses doigts touchèrent un objet en cuir souple. « Sans doute un sac », supposa-t-il, en le tirant vers lui avec précaution. C'était une serviette d'aspect luxueux, avec une fermeture à glissière sur trois côtés, dépourvue de poignée.

Tony la déposa sur le lit, prit son verre de scotch, but une nouvelle gorgée, et ouvrit la serviette. Étouffant un cri de surprise, il contempla ce qui ressemblait fort à une douzaine de liasses de billets de cent dollars. Il versa sur le lit le contenu de la serviette. Trois passeports américains tombèrent d'une poche. Il en ouvrit un. À la vue de la photo, il sentit ses muscles se raidir. Il examina rapidement la deuxième et la troisième photo. Les trois visages paraissaient totalement différents, mais en les étudiant avec attention on voyait qu'il s'agissait du même homme. Et c'était un homme qu'il connaissait.

Eddie Gordon, le fumier dont le témoignage avait envoyé le père de Tony en prison ! Tony l'avait poursuivi pendant quinze ans. Gordon avait pris différents noms d'emprunt. D'après les dates d'émission des passeports, il se faisait appeler aujourd'hui Harry Crater.

« Il ne participe pas à cette croisière en tant que bienfaiteur, se dit Tony. Je me demande ce qu'il complote et pourquoi il est à l'infirmerie. Peu importe. Comédie ou non, lorsque j'en aurai fini avec lui, il n'aura plus besoin de médecins », se promit-il.

30

Ted Cannon avait toujours eu le sommeil léger. Et il était devenu de plus en plus insomniaque pendant la maladie de Joan, sensible à la plus légère variation de sa respiration. C'est avec soulagement qu'il s'était vu attribuer l'une des rares cabines pour une personne. Elle était plus petite que les autres, mais extrêmement confortable et pourvue d'un balcon privé. Son seul inconvénient était la porte communicante avec la cabine voisine – parfaite pour une famille avec enfants, mais moins agréable lorsqu'on n'avait pas envie d'entendre la télévision de son voisin.

Ted savait que ce dernier, Harry Crater, avait été transporté à l'infirmerie après sa chute pendant le dîner. Comme il se préparait à se mettre au lit, il entendit le ronronnement de la télévision. « J'aime mieux ça, pensa-t-il. Il est de retour, son état ne devait pas être très grave. Mais mon seul espoir de profiter d'une bonne nuit de sommeil est de m'endormir avant de me mettre à trop penser. Et s'il laisse sa télévision en marche pendant trop longtemps, je n'ai pas une chance d'y parvenir. »

Le bateau roulait toujours et Ted se glissa dans son lit avec bonheur, remontant la couverture jusqu'à son menton. « La veille à la même heure, se souvint-il, je pensais avoir commis une erreur en acceptant cet engagement. Mais je ne le regrette pas, en réalité. » Seul dans le noir, il sourit en songeant aux événements de la journée. Au dîner, il avait pris plaisir à circuler de table en table entre chaque plat, à discuter avec les autres passagers. « Les gens qui participent à cette croisière sont sincères et charmants, reconnut-il, comme les Ryan, dont le fils est mort d'une maladie rare, et qui ont contribué à financer la recherche dans le domaine. » La façon dont ils avaient transformé leur chagrin en action positive et bénéfique pour autrui amenait Ted à se demander si son fils n'avait pas raison lorsqu'il lui disait de cesser de s'apitoyer sur son sort. Ce n'était pas ainsi que Bill le formulait, naturellement, mais c'était le fond de sa pensée. « En fait, songea Ted un peu honteux, c'est exactement ce que Joan aurait dit. Elle n'aurait pas supporté que je m'attendrisse sur moi-même. »

Dans la cabine voisine la télévision s'était tue, mais il entendit un bruit de tiroirs qu'on ouvrait et refermait, puis un murmure de voix. « Peut-être quelqu'un aide-t-il Crater à s'installer pour la nuit », pensa Ted en se tournant sur le côté et en tirant la couverture sur son visage pour se boucher les oreilles.

Sentant le sommeil le gagner, il songea à Maggie Quirk, se félicitant d'avoir cessé de lui poser des questions à propos d'Ivy Pickering. Maggie était drôle et avait le sens de l'humour. Elle lui avait dit qu'elle avait l'intention d'aller faire du jogging à six heures du matin. Si la tempête se calmait, il se lèverait tôt et enfilerait sa tenue de jogging lui aussi.

Ted était matinal, mais pour être certain de ne pas dormir trop tard, il éteignit la lumière et régla le réveil à cinq heures et demie.

31

Comme la plupart des passagers, Maggie et Ivy se couchèrent dès qu'elles eurent regagné leur cabine. Il n'était pas aisé de se tenir debout sous les assauts de la tempête et, de toute façon, la journée avait été longue. Maggie s'endormit aussitôt, mais elle se réveilla peu avant quatre heures pour trouver Ivy assise sur le bord de son lit. Maggie alluma la lumière.

« Ça va, Ivy ? s'inquiéta-t-elle. Tu n'as pas vu d'autre fantôme, j'espère ?

— Très drôle, Maggie, dit Ivy, riant malgré elle. Je préférerais être réveillée à cause d'un fantôme plutôt que de me sentir aussi mal. J'ai la nausée. Et des frissons dans tout le corps.

— Descendons à l'infirmerie, suggéra Maggie en sortant de son lit.

— Oh, je n'arriverai pas jusque-là dans l'état où je suis. J'ai la tête qui tourne. Je vais juste m'allonger et attendre que ça passe. »

Maggie saisit sa robe de chambre. « Dans ce cas laisse-moi aller voir si je peux te rapporter un patch contre le mal de mer ou un autre médicament.

« — Je ne veux pas que tu te promènes seule à cette heure », dit Ivy, puis elle gémit. « Mais si tu insistes..., termina-t-elle faiblement. Je n'aurais jamais cru que j'étais du genre à avoir le mal de mer...

— Je vais t'appliquer un linge humide sur le front et ensuite j'irai en vitesse à l'infirmerie... »

32

Lorsque Highbridge sortit enfin de la douche, Tony Bille en Tête avait rangé le contenu de la serviette à l'intérieur du sac de cuir, refermé la fermeture Éclair, et caché la serviette sous le lit. Il savait ce qu'il avait à faire. Une des leçons qu'il avait apprises tôt dans sa vie de criminel était : « Moins on en dit, mieux on se porte. »

La vue des emballages de bonbons et du bocal de cacahuètes vide mit Highbridge hors de lui. « Tu n'aurais pas pu m'en garder un peu, non ?

— J'avais faim, répliqua Tony d'un air mauvais. J'ai encore faim. »

Les deux hommes s'enfermèrent dans un silence maussade. Lorsque Bille en Tête pénétra dans la salle de bains, il constata que Highbridge avait suspendu son costume de Père Noël et fourré des serviettes à l'intérieur des bras et des jambes pour les défroisser. Il demanda à son complice s'il était retombé en enfance, et l'autre lui répondit qu'il avait l'intention de se rendre dès la première heure au buffet des lève-tôt et de se servir, ajoutant : « Mais ne compte pas sur moi pour te rapporter quelque chose. »

Quand Tony sortit de la douche, Highbridge dormait déjà, couché sur un côté du lit double. Tony s'étendit à son tour et éteignit la lumière. Comment Highbridge pouvait-il dormir par un temps pareil ? se demanda-t-il. Il réfléchit rapidement – il devait à tout prix sortir de sa cabine pour récupérer ses cartes. C'était sa seule chance de choper Eddie Gordon. Une fois hors de ce bateau et en route pour Fishbowl Island, il n'aurait sans doute plus jamais l'occasion de tomber sur lui. Il devait venger son père, ou au moins essayer, ainsi il n'aurait pas à vivre dans la honte pendant le reste de sa vie.

Il savait que c'était risqué, mais il fallait essayer.

Bille en Tête décida d'attendre jusqu'à quatre heures du matin, quand il aurait peu de chances de rencontrer quelqu'un dans les coursives. Il avait entendu dire que les gens meurent davantage vers quatre heures du matin qu'à un autre moment de la journée ou de la nuit. Tony ferma les yeux, sachant qu'il ne dormirait pas. Il comptait bien ajouter quelqu'un à cette statistique.

À trois heures et demie, incapable d'attendre plus longtemps, il sortit du lit. Il se drapa dans un peignoir en éponge, enroula une épaisse serviette de toilette autour de son cou et mit une paire de lunettes noires de Gordon qu'il avait trouvées sur la table de chevet. Par chance, elles n'étaient pas équipées de verres correcteurs.

Le couloir faiblement éclairé était désert. Devant la batterie d'ascenseurs, il découvrit un plan du bateau indiquant où étaient situées toutes les cabines.

Comme il s'y attendait, l'infirmerie était au niveau inférieur. Se fiant au plan, il repéra la coursive à emprunter et trouva son chemin jusqu'à l'infirmerie sans rencontrer âme qui vive.

Avec précaution, il ouvrit la porte et se trouva dans une salle d'attente étrangement silencieuse et vide. Il y avait un écriteau bien en évidence sur le bureau : INFIRMIÈRE DE GARDE. APPUYEZ SUR LA SONNETTE EN CAS DE BESOIN.

Il passa derrière le bureau et, d'un geste furtif, ouvrit la porte qui menait au saint des saints. Se déplaçant lentement, guidé par l'éclairage tamisé le long des plinthes, il jeta un coup d'œil dans le petit bureau sur sa gauche où il distingua la silhouette d'une infirmière endormie dans un fauteuil inclinable. Sa respiration lourde et profonde le rassura, elle n'était pas une menace pour lui, du moins pour le moment. Il espéra qu'elle continuerait à dormir – pour son propre salut.

Dans la seconde pièce sur la droite, il repéra l'homme responsable du malheur de sa famille. Même dans la semi-pénombre, il reconnut le profil d'Eddie Gordon, l'homme connu sous le nom de Crater. Il se rappela sa pauvre mère faisant une fois par mois, pendant quinze ans, le long trajet jusqu'à la prison fédérale d'Allentown, en Pennsylvanie, pour voir son père. Toutes ces années à regarder la place vide de son père à la table du repas du soir. « Je fais ça pour toi, papa », chuchota-t-il en pénétrant dans la pièce plongée dans l'obscurité. Il tira doucement un oreiller de dessous la tête de Crater et d'un geste rapide, précis, le plaqua sur le visage de l'homme endormi.

Dans son sommeil provoqué par le sédatif, Crater-/Gordon faisait un cauchemar. Il ne pouvait pas respirer. Il étouffait. Il s'étranglait, battait l'air avec ses mains. Mais c'était la réalité. Ce n'était pas un cauchemar. Mû par son instinct, il glissa ses mains sous l'oreiller qui lui recouvrait le visage et le repoussa violemment. Il sentit des pouces puissants presser son cou. Une voix murmurait : « C'est ce que tu mérites. »

« Ahhhhhhh. » Gordon savait que son cri n'était qu'un murmure.

La sonnerie de l'interphone dans la salle d'attente se répercuta depuis le bureau de l'infirmière tout au long du couloir.

Tony se figea. S'efforçant de replacer l'oreiller sur le visage de Gordon, il se rendit compte que l'interphone allait réveiller l'infirmière et que la personne qui l'actionnait était dans la salle d'attente.

Il fit la seule chose possible – il abandonna l'oreiller, sortit en courant, et se cacha dans la pièce voisine.

« Ahhhhhh ! » hurla alors Gordon.

Tony regarda l'infirmière se précipiter dans le couloir et entrer précipitamment dans la chambre de Gordon. La serviette drapée autour de son cou jusqu'au menton, les yeux dissimulés par les lunettes noires, il ouvrit la porte de la salle d'attente. Sa main couvrant à moitié son visage, il quitta l'infirmerie, sans un regard pour la femme qui venait de prendre un siège.

Crater cherchait désespérément à comprendre ce qui lui était arrivé. Ce n'était pas une invention de sa part, quelqu'un avait essayé de le tuer. Il avait toujours nourri le soupçon que le patron avait placé un complice de l'intérieur sur ce coup-là. Craignant qu'il ne parle sous l'empire du sédatif, cet individu avait peut-être essayé de le tuer. Il devait regagner sa cabine au plus vite et fermer la porte à double tour jusqu'à l'arrivée de l'hélicoptère.

« Que vous arrive-t-il, monsieur Crater ? demanda l'infirmière en allumant la lumière.

— J'ai fait un mauvais rêve, dit-il d'une voix étranglée.

— Mais votre cou est tout rouge. Et pourquoi votre oreiller est-il par terre au pied du lit ?

— J'ai le sommeil agité.

— Le Dr Gephardt a dit que vous pouviez avoir un autre calmant si nécessaire.

— Non ! » Jusqu'à ce qu'il quitte ce bateau, il devait se garder de fermer l'œil. Étrangement, son dos le faisait beaucoup moins souffrir après ses efforts pour se débattre. « Je vais regagner ma cabine.

— Pas question. Ce sont les ordres du docteur. Vous parlerez avec lui quand il reprendra son service à sept heures.

— À sept heures une minute je serai sorti d'ici. »

Mais l'infirmière avait déjà quitté la pièce.

Quelques minutes plus tard, Maggie revenait lentement dans sa chambre avec un patch contre la nausée à l'intention d'Ivy. Elle se glissa dans ses draps, exténuée et inquiète, mais elle n'avait pas pour autant l'intention de renoncer à son jogging matinal.

À moins que son intuition ne la trompe, Ted Cannon serait sur la piste à six heures précises.

33

Alvirah se réveilla à six heures moins le quart. Willy dormait encore, sans avoir changé de position depuis qu'il s'était couché. Les mouvements du bateau s'étaient atténués, remplacés par un lent roulis. Elle sortit du lit sans faire de bruit. Dans la salle de bains, elle s'aspergea le visage d'eau froide et se brossa les dents. Elle enfila un survêtement et y accrocha sa broche soleil. « C'est devant ma tasse de café matinale que je suis au mieux de ma forme, se dit-elle. Et je sais qu'ils servent du café, du jus d'orange et des bagels entre six heures et sept heures au Lido avant d'ouvrir la salle du petit déjeuner. »

Elle griffonna une note à l'intention de Willy et l'appuya contre la lampe du bureau, puis avec d'infinies précautions elle ouvrit la porte, sortit dans le couloir et referma doucement derrière elle. Se hâtant le long de la coursive, elle s'étonna de voir la porte de la suite du Commodore ouverte. Éric, l'air mal réveillé, vêtu d'un training froissé, apparut sur le seuil.

« Le monde appartient à ceux qui se lèvent tôt », dit Alvirah avec entrain, puis elle essaya d'en profiter pour amener Éric à bavarder avec elle. « Venez prendre un café avec moi. Vous avez été si aimable de nous céder votre cabine. Je compte écrire dans mon journal une chronique élogieuse sur la croisière, et j'aimerais parler de vous à cette occasion. »

L'éclat pénétrant qui brillait dans les yeux d'Alvirah n'échappa pas à Éric. Il était conscient qu'elle l'étudiait soigneusement. Il avait prétendu se retirer dans sa propre cabine pour aller dormir, mais il avait laissé la porte suffisamment entrouverte pour voir à quel moment son oncle irait se coucher ou s'endormirait sur son canapé. Le problème était qu'Éric s'était endormi avant son oncle et venait seulement de se réveiller, réalisant avec horreur que c'était le matin et que Crater risquait de regagner sa cabine d'un moment à l'autre. Il avait appelé l'infirmerie et appris que Crater allait beaucoup mieux et avait insisté pour sortir dès l'arrivée du médecin, à sept heures. Ce qui signifiait que lui-même avait seulement une heure pour faire évacuer la cabine de Crater, trouver où cacher Tony Bille en Tête et Highbridge jusqu'à ce que Winston ait remis la suite en ordre et qu'il puisse ensuite les faire entrer en douce dans sa propre cabine.

« Merci beaucoup, dit-il à Alvirah, mais il faut que je descende à l'infirmerie prendre des nouvelles de M. Crater, avant de remonter m'habiller. » Il rit et donna une petite tape amicale sur le bras d'Alvirah. « Mon oncle a un caractère facile en apparence, mais il fait régner l'ordre à bord, comme on dit. »

« Régner l'ordre à bord ? se demanda Alvirah. À en juger par ce que j'ai vu, ce bateau est plutôt une pétaudière. » « Un autre jour, alors, suggéra-t-elle aimablement. La première lueur du jour n'est-elle pas merveilleuse ? Je jurerais que mon cerveau fonctionne à plein régime lorsque je me lève tôt le matin. Vous savez sans doute qu'on m'a fait une réputation de détective amateur. Quand j'essaye de comprendre ce qui se passe, vite, une petite séance de remue-méninges et, hop, figurez-vous que je trouve souvent la solution. »

Pendant un bref instant Éric sentit les muscles de son cou se raidir. « Et qu'essayez-vous de comprendre en ce moment ? demanda-t-il, feignant d'être amusé.

— Oh, quelques petites choses », répliqua Alvirah d'un air désinvolte. Elle se retint de demander à Éric s'il aimait les chips, elle savait que sa question paraîtrait bizarre et serait mal accueillie. « Par exemple, j'aimerais découvrir qui a volé les costumes de Père Noël. Ils n'ont sans doute pas beaucoup de valeur, mais c'est tout de même un vol. »

Éric n'avait pas envie de poursuivre la conversation. À chaque mot que prononçait cette femme, son cœur se mettait à battre plus violemment. Cette infernale vieille toupie jouait au chat et à la souris avec lui, c'était clair. « Je suis certain que vous êtes un détective redoutable, madame Meehan, dit-il. Profitez de votre café pendant que je vais rendre visite à notre patient. »

Ils étaient arrivés devant les ascenseurs, mais Éric se dirigea d'un pas rapide vers l'escalier. Il doit aimer prendre de l'exercice, pour descendre ainsi à pied jusqu'à l'infirmerie, pensa Alvirah. Pour ma part, je préfère économiser mes genoux. Elle pressa le bouton et attendit.

À six heures quatre, elle était au Lido devant la machine à café, et elle se versait sa première tasse qu'elle appréciait tant. Derrière les lourdes portes battantes, elle entendait les bruits de vaisselle que faisaient les employés de la cuisine. Je dois être la première cliente, se dit-elle. Mais en regardant par la fenêtre, elle vit un Père Noël de haute taille, qui portait un plateau chargé d'un copieux petit déjeuner, s'éloigner rapidement sur le pont en direction de l'arrière du bateau.

Elle se demanda s'il s'agissait de ce charmant M. Cannon. Il était l'un des plus grands parmi les Pères Noël. Elle poussa la porte vitrée. « Hello Père Noël », appela-t-elle à pleine voix. Le Père Noël jeta un regard par-dessus son épaule et, au lieu de ralentir, accéléra l'allure. Ce fut alors qu'Alvirah vit, ou crut voir, qu'il n'avait qu'un seul grelot à son bonnet. Elle se mit à courir derrière lui, mais le pont était glissant et avant même qu'elle s'en rende compte, son café s'envola, et elle s'affala la tête la première comme un sac, heurtant le côté d'une des chaises longues.

Elle resta un instant sonnée par le choc, tentant de reprendre sa respiration. Une douleur fulgurante lui traversa le crâne, et elle sentit le sang couler sur son visage. Étourdie, elle leva les yeux. Le Père Noël avait disparu. « Je vais tomber dans les pommes », pensa-t-elle, mais avant, d'un geste instinctif, elle brancha le micro de sa broche. « Je suis sûre qu'il m'a vue, murmura-t-elle d'une voix mal assurée. Il était grand. J'ai d'abord pensé qu'il s'agissait de Ted Cannon. Je crois qu'il n'avait qu'un seul grelot à son bonnet. Je saigne du front. Je voulais le poursuivre et je me suis étalée... »

Alors seulement, Alvirah s'évanouit. Par la suite, elle garda le souvenir confus de gens qui se pressaient autour d'elle, la hissaient sur une civière, appliquaient une compresse froide sur son front, la faisaient monter en ascenseur. Quand elle reprit connaissance et ouvrit les yeux, elle vit Willy penché sur elle qui la regardait d'un air anxieux. « C'était une sacrée chute, mon chou, dit-il. N'essaye pas de bouger. »

Elle avait affreusement mal à la tête, mais espéra n'avoir rien de grave, à part ça. Elle fit remuer ses doigts et ses orteils. Ils avaient l'air en état de marche. Elle bougea son épaule et constata avec soulagement que les muscles de son dos fonctionnaient parfaitement.

« Madame Meehan, nous allons vous faire une radio du crâne. » Le Dr Gephardt, la veste de son uniforme blanc à moitié boutonnée, se tenait à côté de Willy. « Vous vous êtes méchamment cogné la tête. Je vais vous recoudre le front, et nous ferons ensuite la radio. Je veux que vous restiez au calme pendant quelques heures.

— Je vais très bien, protesta Alvirah. Mais croyez-moi, il se passe de drôles de choses sur ce bateau.

— Que veux tu dire, chérie ? » demanda Willy.

Alvirah sentait des élancements lui trouer la tête, mais ses idées commençaient à s'éclaircir. « J'ai vu l'un des Pères Noël juste après m'être servi un café. J'ai cru que c'était ce brave Ted Cannon...

— Il est dans la salle d'attente, l'interrompit Willy. Il faisait du jogging avec Maggie et, au détour du pont, ils t'ont trouvée étendue par terre. Tu étais en train de parler...

— Dans mon micro, dit Alvirah.

— D'accord, et à ce moment-là tu t'es évanouie.

— Je sais que Ted n'aurait pas feint de ne pas me reconnaître. C'est ce qu'a fait le Père Noël que j'ai aperçu. Je l'ai appelé. Il s'est retourné, m'a regardée et a continué son chemin. Et il n'avait qu'un seul grelot à son bonnet ! J'en suis certaine, il portait un des costumes volés. Il faut trouver qui est ce type et où il se cache ! Va chercher Dudley, Regan et Jack.

— Ils sont tous là, dans la salle d'attente.

— Fais-les entrer ! ordonna Alvirah.

— Madame Meehan, il faudrait que vous restiez calme..., protesta Gephardt.

— Je vais très bien, affirma Alvirah. J'ai subi des chocs plus sérieux que celui-ci dans ma vie. Nous avons la tête dure dans la famille. Je ne pourrai jamais garder mon calme sachant qu'un voleur capable du pire est à bord de ce bateau ! »

De la pièce voisine leur parvint une voix forte : « J'entends la voix du docteur. Je veux le voir immédiatement ! »

« Si vous voulez bien m'excuser », dit précipitamment Gephardt en sortant à la hâte.

« Ce doit être Crater, dit Alvirah à Willy. Il a des cordes vocales particulièrement puissantes pour quelqu'un qui la veille était près de passer l'arme à gauche.

— Je crois qu'il est rétabli à présent, dit Willy. Je vais chercher les Reilly.

— Dis à Maggie et à Ted de venir aussi. Nous avons du pain sur la planche. »

Pendant les deux minutes qui s'écoulèrent avant l'arrivée de ses amis, la pensée d'Alvirah se concentra sur Éric. Il était soi-disant descendu directement pour prendre des nouvelles de Crater. Elle avait le pressentiment qu'il n'en avait rien été.

« Alvirah ! Comment allez-vous ? » demanda Nora tandis qu'ils se pressaient tous dans la cabine.

« Je vais parfaitement bien. Jamais été mieux.

— Qu'est-il arrivé ? »

Alvirah raconta l'histoire du Père Noël qu'elle avait tenté de rattraper, et les Reilly savaient déjà par Maggie et Ted comment ils avaient découvert Alvirah étendue de tout son long sur le pont. « Je suis pratiquement certaine qu'il portait un bonnet avec un seul grelot, leur dit Alvirah. Il faut que Dudley rassemble les huit costumes dont nous disposons afin de vérifier que leurs bonnets comportent bien tous deux grelots. Si c'est le cas, l'individu que j'ai vu portait donc un des déguisements volés. J'ai aussi pensé que nous pourrions nous faire aider des autres Pères Noël dans nos recherches. Il faudrait mettre une marque discrète sur les costumes qui nous permette de distinguer ceux qui ont disparu si quelqu'un les porte sur le bateau... Ils ont sans doute été subtilisés pour permettre à un ou deux individus de se déplacer sans problème à bord. J'ai failli en surprendre un.

— Êtes-vous *sûre* qu'il vous a entendue l'appeler ? demanda Regan.

172

— Certaine. Il s'est retourné. Je n'ai pu voir son visage avec sa barbe. » Elle regarda Ted. « De dos, j'ai presque cru que c'était vous. Il était plutôt grand. »

Ted sourit. « Je suis heureux d'avoir un témoin de confiance.

— C'est moi à qui on peut toujours faire confiance », dit Maggie.

Jack hocha la tête. « Il est logique que l'auteur du vol des costumes ait voulu s'en servir pour circuler incognito. Je ne pense pas qu'aucun des vrais Pères Noël ait pu sortir à l'aube ce matin, enfiler son costume et partir à la recherche d'un café.

— Ç'aurait été ridicule, s'écria Alvirah. Il n'y avait personne là-bas à qui chanter "Petit Papa Noël". Et il n'avait certainement pas envie de chanter avec moi. »

Willy lui prit la main. « J'ai toujours envie de chanter avec toi, dit-il.

— Je sais, Willy », répondit Alvirah, attendrie.

L'infirmière passa la tête par la porte. « Comment nous portons-nous, madame Meehan ?

— Très bien, répondit Alvirah d'un ton impatient. Et vous, qu'avez-vous à me raconter ? »

Regan et Willy savaient qu'une chose horripilait particulièrement Alvirah, c'était l'emploi du « nous » collectif lorsqu'un médecin ou une infirmière s'enquérait de sa santé.

L'infirmière ignora sa question. Regardant autour d'elle, elle remarqua la présence de Maggie. « Vous vous êtes levée bien tôt après être descendue ici au milieu de la nuit. Comment va votre amie ? demanda-t-elle.

— Elle dormait encore lorsque je suis sortie de la cabine. » Comme les autres la regardaient d'un air interrogatif, Maggie expliqua : « Le patch contre la nausée a été très efficace.

— La mer était vraiment démontée hier soir. Je présume que vous avez dû distribuer ces patchs en quantité, fit remarquer Luke.

— Nous avons eu beaucoup de monde jusqu'à minuit environ. Mlle Quirk a été notre seul visiteur ensuite, jusqu'à l'arrivée de Mme Meehan. »

Alvirah vit l'expression de surprise qui se peignait sur le visage de Maggie. « Qu'y a-t-il, Maggie ? demanda-t-elle.

— Rien. Simplement, j'imaginais que l'homme que j'ai vu sortir d'ici et traverser la salle d'attente la nuit dernière était un patient. »

L'infirmière sembla sur le point de parler, puis hésita. Le Dr Gephardt se tenait derrière elle et avait sans aucun doute entendu ces derniers mots.

« Y avait-il quelqu'un d'autre à l'infirmerie au moment où M. Crater a fait un cauchemar ? lui demanda Gephardt d'une voix qui reflétait une sérieuse inquiétude.

— Pas à ma connaissance », répondit l'infirmière sèchement.

Le docteur se tourna vers Maggie. « D'après notre registre, vous vous êtes présentée ici à quatre heures du matin.

— C'est exact, dit Maggie.

— Et vous affirmez avoir vu un homme sortir de cet endroit et traverser ensuite la salle d'attente ?

— Oui, je l'ai vu. J'étais à demi tournée, en train de m'asseoir, quand il a franchi la porte.

« — À quoi ressemblait-il ? » demanda Alvirah.

Maggie hésita. « Je sais que cela va vous paraître fou...

— Dites-le quand même », insista Alvirah.

Maggie secoua la tête et fit une grimace. « Il ressemblait à Louie Crochet du Gauche. »

34

Quand Éric atteignit le pont sur lequel donnait la cabine de Crater, il jeta un coup d'œil dans le couloir et vit Jonathan, le steward de cet étage, qui sortait de la dernière cabine. Sans doute un de ces lève-tôt qui a demandé du café, pensa-t-il, se reculant d'un pas avant que Jonathan ne l'aperçoive. Il n'avait aucune raison de se trouver là et si l'autre le remarquait, il serait obligé de fournir une explication quelconque. Plutôt que d'attendre devant la batterie d'ascenseurs, il descendit trois ponts plus bas en empruntant l'escalier, puis rebroussa chemin et remonta lentement.

Cette fois, il n'y avait pas de steward. Mais, à la stupeur d'Éric, un grand Père Noël chargé d'un plateau était en train de frapper à la porte de Crater. La porte s'ouvrit aussitôt, et tout aussi rapidement se referma tandis que Highbridge s'engouffrait à l'intérieur. Son passe-partout à la main, Éric se précipita dans le couloir et ouvrit la porte. Highbridge était occupé à déposer le plateau sur le bureau. Arrachant sa barbe de Père Noël, il toisa Éric.

« Quelle agréable surprise ! Je pensais que vous nous aviez éliminés de votre liste.

— Il faut que je vous fasse sortir sans tarder. Crater insiste pour retourner dans sa cabine immédiatement. Le docteur ne prend son service qu'à sept heures, mais Crater serait capable de s'accorder à lui-même une autorisation de sortie. »

Tony engloutissait un bagel. La bouche pleine, il demanda sèchement à Éric : « OK, fifils à son tonton, que proposez-vous maintenant ? » Sans attendre de réponse, il poursuivit : « Dans vingt-trois heures nous serons assez près de Fishbowl Island pour que nos hommes nous récupèrent. Il vaudrait mieux pour vous que les choses se passent comme prévu. » Il lança à Éric un regard noir.

Éric était terrifié par Bille en Tête. En sa présence, il avait l'impression d'être enfermé en cage avec un lion furieux. Il essaya de se remémorer le moment où il avait conclu ce marché et accepté de faire monter secrètement les deux hommes à bord. Tout lui avait semblé si facile à l'époque. Un million de dollars par personne pour les cacher pendant moins de quarante-huit heures. Plus de quarante et un mille dollars de l'heure. Comment refuser pareille aubaine ? Mais maintenant, s'ils étaient pris, les deux malfaiteurs révéleraient à la police qui était leur complice. Nier serait inutile. Éric savait qu'il ne pourrait jamais résister au détecteur de mensonge.

Il regarda à son tour Tony dans les yeux. « Tous nos ennuis ont commencé quand vous vous êtes mis à sautiller sur place dans la chapelle, dit-il sur la défensive. Vous étiez censé porter votre déguisement de Père Noël et, si quelqu'un vous avait vu ainsi vêtu, il aurait simplement cru que vous étiez en train de prier ou de méditer. Maintenant fichons le camp.

177

Une fois que je vous aurai conduits en douce en haut, il faudra que je redescende pour mettre de l'ordre ici. Habillez-vous.

— Ne me faites pas porter le chapeau, rétorqua Tony. Où allons-nous ?

— On retourne à la chapelle.

— Vous êtes cinglé ou quoi ?

— C'est temporaire, jusqu'à ce que je puisse vous ramener à ma cabine. Il n'y a pas d'autre endroit où vous cacher.

— Espérons que votre oncle ne finira pas par prier pour vous dans cette chapelle », dit Tony en avalant une gorgée de café.

Il avait laissé tomber son costume de Père Noël sur le plancher quand il l'avait ôté pour enfiler un peignoir de bain. Un torrent de jurons s'échappa de ses lèvres au moment où il enfilait son pantalon et sa veste mouillés et froissés. Sa barbe était une masse informe de mousse humide à l'odeur aigre. En l'attachant derrière ses oreilles, il se mit à éternuer.

« Je passe le premier, décida Éric. Une fois arrivés à l'escalier, il y a peu de chances que nous tombions sur quelqu'un. Il est encore trop tôt. » Il entrebâilla la porte. On n'entendait aucun bruit dans le couloir. Et Jonathan avait disparu. « Venez », souffla-t-il à Tony et à Highbridge.

Il était six heures vingt-cinq. Le bateau était silencieux. Sur le pont des embarcations, Winston ne se pointerait que dans une bonne demi-heure. Il avait pour instructions d'apporter son petit déjeuner au Commodore tous les jours à sept heures et quart. « Mais l'oncle Randolph va se réveiller bientôt, pensa Éric. Il fait son yoga entre sept heures moins le quart

178

et sept heures et quart, et il m'a confié qu'il voulait y consacrer davantage de temps afin d'améliorer sa position du lotus. »

Ils atteignirent le premier pont sans problème. Puis le deuxième, le troisième. Le silence exacerbait la nervosité d'Éric. Ils prirent sur leur droite et parcoururent le couloir jusqu'à la chapelle. Éric ouvrit la porte, jeta un coup d'œil à l'intérieur. Dieu soit loué, il n'y avait pas de fidèles matinaux. Il fit avancer les deux malfrats le long de l'allée centrale. « Cachez-vous sous l'autel et, cette fois, ne bougez pas, leur ordonna-t-il. Je reviendrai vous chercher dans deux heures. Lorsque le maître d'hôtel de mon oncle aura fait le lit et le ménage, il ne remettra plus les pieds dans ma cabine avant le soir. Je vous apporterai de quoi manger. »

Au moment où Tony se baissait, Éric remarqua pour la première fois qu'il tenait une serviette de cuir à fermeture Éclair sous le bras. « Où avez-vous déniché ça ? demanda-t-il.

— Je l'ai trouvée dehors hier soir pendant que nous nous faisions saucer », répondit Tony d'un ton sarcastique. « Autre chose. J'ai laissé mon jeu de cartes dans le tiroir de la table de nuit de votre première cabine, où nous devrions être en ce moment même. Rapportez-les-moi. Elles sont très importantes. »

Des cartes ! Éric se souvint de Willy Meehan qui avait proposé de lui rendre le jeu de cartes. « Je ne savais pas..., commença-t-il.

— Vous ne saviez pas quoi ?

— Rien, rien. Je vais les chercher. Il faut que je vous laisse maintenant. »

Il était six heures trente et une. Éric se précipita hors de la chapelle et, une minute plus tard, il était dans la réserve, près de la suite de son oncle. Il s'empara rapidement de serviettes, de gants de toilette et de deux peignoirs de bain pour remplacer ceux qu'Highbridge et Tony avaient utilisés, et il les fourra dans un sac en plastique. Il eût été préférable que ces deux-là soient un peu plus soigneux, pensa-t-il, se souvenant des emballages de bonbons qu'il avait aperçus sur le pont. Ils auraient pu tout aussi bien accrocher un écriteau à leur porte : ESCROCS EN VILLÉGIATURE. SOYEZ LES BIENVENUS.

Pour un homme peu habitué à ranger derrière lui, il excella à remettre de l'ordre rapidement dans la cabine de Crater. Il remplaça les serviettes humides par les nouvelles, rinça et sécha les verres, nettoya le miroir au-dessus de la commode et les portes vitrées de la douche, et suspendit les peignoirs dans l'armoire. La veille, pendant le dîner, Jonathan avait déjà fait le lit de Crater et tiré les rideaux. Éric tapota les oreillers et défroissa le couvre-lit. Au moins ces deux crétins s'étaient-ils contentés de s'allonger sur le lit ; les draps et la couverture étaient propres. « Tony avait-il pris cette serviette de cuir dans la cabine ? » se demanda Éric avec inquiétude. Si c'était le cas, il faudrait rembourser une somme considérable.

Il était sept heures moins dix. Il devait se rendre à l'infirmerie maintenant, pour pouvoir dire à son oncle qu'il avait vu Crater. Il remonta d'abord quatre à quatre jusqu'à la piscine et déposa les serviettes et les peignoirs déjà utilisés sur une chaise longue. Il arriva à l'infirmerie au moment où Crater entrait, dans un fauteuil roulant, dans la salle d'attente. Le Dr Gephardt l'accompagnait. « Monsieur Crater, disait-il, votre dossier montre que vous avez un sérieux problème de santé. Une fois dans votre cabine, je vous suggère de vous coucher et de rester tranquille. Vous avez subi un véritable choc nerveux. »

Le visage de Crater était cramoisi. Éric distingua deux marques violettes de part et d'autre de son cou. Serait-ce les infirmiers qui les avaient faites en le transportant ? se demanda-t-il.

« Monsieur Crater, commença-t-il. Mon oncle, le Commodore... »

Crater le regarda d'un air soupçonneux. « Fichez le camp, gronda-t-il.

— Nous sommes tous navrés de ce qui est arrivé. Je vais vous reconduire à votre cabine, dit Éric fermement.

— Éric, puis-je vous voir un instant ? demanda Gephardt.

— Pas maintenant. Je tiens à accompagner M. Crater jusqu'à sa cabine où il sera plus confortablement installé.

— Ensuite, soyez aimable de revenir me trouver. »

« Oh-oh », se dit Éric en commençant à pousser le fauteuil roulant. « Tout de suite », promit-il.

Devant la porte de la cabine, Éric demanda sa clef à Crater. « Inutile de lui montrer que je peux y entrer par mes propres moyens », décida-t-il. Il fut soulagé de voir qu'aux yeux de Crater la cabine était exactement dans l'état où elle aurait dû être s'il y était revenu la veille. Crater se leva. « Très bien, vous m'avez reconduit jusqu'ici. Maintenant laissez-moi tranquille. »

« Ce type a peur, se dit Éric. C'est peut-être un effet de mon imagination, mais on dirait qu'il a peur de moi. » « Je m'en vais, monsieur. Faites-moi savoir si vous avez besoin de quelque chose.

— Il y a une chose dont j'ai besoin. Mon téléphone portable. J'ai déjà demandé au personnel de l'infirmerie de le retrouver. Il a dû s'échapper de ma poche quand ces maudites gamines m'ont fait tomber.

— Je vais le trouver, ne vous inquiétez pas. J'espère que vous vous sentirez bientôt mieux, monsieur. »

« J'aurai au moins quelque chose à raconter à l'oncle Randolf », pensa-t-il pour se réconforter en rapportant le fauteuil roulant à l'infirmerie.

Le Dr Gephardt était dans son bureau. « Entrez, Éric », dit-il doucement.

Éric demeura dans l'embrasure de la porte. « Soyez bref. Je dois prendre ma douche et m'habiller. Mon oncle va se demander où je suis passé.

— Éric, vous avez sans doute remarqué les marques sur le cou de Crater ?

— Oui, je les ai vues.

— Quelqu'un a essayé de l'assassiner la nuit dernière.

— Qu'est-ce que vous racontez ? s'écria Éric, incrédule.

— Je parle d'une tentative de meurtre sur l'un de mes patients. Il faut avertir le Commodore et sans doute donner l'alerte. »

Éric se força à se concentrer. « Est-ce Crater qui a déclaré qu'on avait tenté de le tuer ?

— Non. Il le nie.

— Alors à quoi rime cette histoire ? »

Gephardt relata les faits et ajouta qu'une personne qui était venue à l'infirmerie à quatre heures du matin, une certaine Maggie Quirk, avait vu un inconnu traverser la salle d'attente.

« Vous êtes malade, dit Éric. Si quelqu'un a réellement tenté de l'étrangler, pourquoi Crater le nierait-il ?

— Bonne question. Mais c'est pourtant la réalité. Si Mlle Quirk n'était pas arrivée à ce moment précis et n'avait pas appuyé sur le bouton de la sonnette, l'infirmière, Mme Rich, aurait trouvé un mort par asphyxie lorsqu'elle serait arrivée dans la chambre. »

Éric se raccrocha au fait que Crater avait nié qu'on avait tenté de le tuer. « Vous rendez-vous compte du ridicule de la situation si nous prétendions qu'il y a eu tentative d'assassinat alors que la victime nie qu'elle ait eu lieu ?

— Moins grave, en tout cas, que de laisser un meurtrier en puissance rôder à bord de ce bateau ! On devrait, sans perdre une minute, procéder à sa recherche. En outre, Mlle Quirk a déclaré que l'intrus ressemblait à Louie Crochet du Gauche, l'écrivain dont les photos sont placardées partout à bord. Et Mlle Pickering a fait une description identique de l'homme qu'elle a vu dans la chapelle hier soir, si je me rappelle bien ! »

Éric resta pétrifié. Ce ne pouvait être que Tony. Est-ce que cet imbécile avait quitté la cabine la nuit dernière ? Il se mit bégayer : « Le... Le... Alors vous suggérez que l'on se mette à la recherche d'un fantôme ? Avez-vous conscience qu'une telle tentative signifierait la mort de cette compagnie de croisières ?

Montrez-vous un peu loyal, docteur, et oubliez cette histoire à dormir debout. »

Alvirah, qui s'était levée pour aller aux toilettes, avait surpris chaque mot de la conversation. « Ça alors ! pensa-t-elle. Voilà une sacrée nouvelle. Heureusement que je me suis cogné la tête. Grâce à ça, j'en apprends de belles. »

35

Après s'être confiée à Alvirah, Maggie s'était presque excusée. « Je sais que vous me croyez folle », dit-elle quand elle eut fait la description du visiteur nocturne qu'elle avait vu traverser la salle d'attente.

« Malheureusement, étant donné ce qui s'est passé à bord de ce bateau, rien ne me semble fou dans ce que vous me dites », avait déclaré Alvirah.

Au moment où Maggie et Ted les quittaient pour reprendre leur jogging, le Dr Gephardt avait nerveusement demandé aux Reilly de les laisser seuls. Il voulait recoudre l'entaille du front d'Alvirah et faire une radio. « Ce ne sera pas long, avait-il promis. Et ensuite, si Mme Meehan se sent assez bien, elle pourra aller se reposer sur une des chaises longues du pont. Mais pas de courses de vitesse, n'est-ce pas ? » avait-il tenté de plaisanter.

Les quatre Reilly, Regan et Jack, Nora et Luke, se dirigèrent vers le Lido. À présent le temps était magnifique, mais, après avoir fait leur choix au buffet, ils préférèrent rester à l'intérieur du restaurant et emportèrent leurs plateaux jusqu'à une table d'angle d'où ils pouvaient à loisir observer ce qui se passait alentour et bavarder. Regan avait appelé Dudley pour lui raconter l'accident d'Alvirah et lui demander de les rejoindre.

« C'est urgent », lui avait-elle précisé.

Dudley, qui avait passé la moitié de la nuit à rédiger un second communiqué de presse célébrant l'atmosphère détendue qui régnait au sein de la croisière, manqua s'évanouir en apprenant l'indifférence grossière manifestée par un des Pères Noël. « Sans doute un de ceux qui portaient un des costumes volés, pensa-t-il. Même ce malheureux Bobby Grimes n'aurait pas laissé Mme Meehan sans secours sur le pont. » « J'arrive tout de suite », dit-il d'une voix tremblante. Des papiers jonchaient son lit, son bureau et le sol, résultat de ses efforts pour présenter les événements des premiers jours comme des incidents sans gravité ni conséquence, et mettre l'accent sur la joie collective de tous ces braves gens appelés à naviguer ensemble.

Pendant que les Reilly attendaient l'arrivée de Dudley, Regan et Jack firent signe à un serveur, qui leur versa un deuxième café.

« Étiez-vous là à six heures, lorsque le Lido a ouvert ses portes ? demanda Jack.

— Oui, monsieur.

— Avez-vous remarqué un Père Noël parmi vos premiers clients ?

— Il était le premier. » Le serveur ajouta en gloussant : « Je crois que c'était l'un des deux Pères Noël qui sont arrivés avant tout le monde hier soir au dernier buffet. »

Les Reilly échangèrent un regard. « Le buffet ouvre pratiquement dès la fin du dîner, n'est-ce pas ? demanda Nora.

— En effet, mais qu'y faire ? Les gens aiment manger lorsqu'ils sont en croisière. Le buffet est servi à partir de onze heures du soir, cependant nous étions juste en train de dresser les tables quand deux Pères Noël sont entrés. Il n'y avait pas encore grand-chose de servi. Ils ont entassé sur leurs assiettes du fromage, des crackers et du raisin.

— À vous entendre, on dirait qu'ils n'avaient pas dîné, fit remarquer Luke.

— Il y avait huit Pères Noël au dîner, affirma Nora. J'en suis certaine.

— Désirez-vous autre chose ? demanda le serveur.

— Non, c'est parfait. Merci », dit Regan.

Tandis que le serveur s'éloignait, Dudley s'approcha d'eux. Le souriant directeur de croisière de la veille semblait avoir besoin d'un tranquillisant et d'une bonne nuit de sommeil.

« Bonjour », dit-il en s'asseyant, s'efforçant machinalement de prendre un ton guilleret. « Je suis vraiment désolé de ce qui est arrivé à Mme Meehan... »

Jack l'interrompit, abrégeant les préliminaires :

« Dudley, nous croyons qu'il y a une personne ou deux qui circulent dans ce bateau dans les costumes de Père Noël qui ont été volés. Mme Meehan affirme que celui qu'elle a vu ce matin n'avait qu'un grelot à son bonnet. Nous voudrions que vous réunissiez au plus tôt l'équipe des Pères Noël, et que vous demandiez à tous ceux qui ont un costume de l'apporter afin de vérifier qu'aucun grelot ne manque à leur bonnet. S'ils sont tous intacts, nous aurons alors la certitude que l'un des costumes volés est utilisé par un inconnu à bord de ce bateau. »

Dudley posa une main sur son cœur, comme pour en ralentir les battements. « Je ferai tout ce que vous demandez. »

Puis Regan l'informa de ce qu'avait vu Maggie Quirk.

« Oh, mon Dieu ! soupira Dudley. Vous savez que Mlle Quirk et Mlle Pickering partagent la même cabine et font partie du groupe des Écrivains et Lecteurs qui honore Louie Crochet du Gauche. Peut-être ont-elles monté cette énorme farce ! »

Les Reilly secouèrent la tête. « Ce serait plus simple pour tout le monde si c'était ça, dit Jack. Mais je ne le crois pas. Nous sommes convaincus qu'un individu embarqué sur le *Royal Mermaid* a un plan bien précis en tête. Je vais demander à mes services de faire vérifier les antécédents de la totalité des personnes présentes sur ce bateau. »

Dudley s'apprêtait à protester quand la voix d'Alvirah les fit sursauter. « Coucou ! » Elle avait un pansement en travers du front et traînait Willy dans son sillage. « Vous n'allez pas croire ce que je vais vous raconter. » Elle ajouta à l'adresse de Dudley : « Vous l'apprendrez de toute façon, autant que vous le sachiez maintenant. Quelqu'un a tenté d'assassiner M. Crater dans l'infirmerie la nuit dernière. Il refuse de l'admettre, mais, à mon avis, il s'agit de l'homme que Maggie a vu traverser la salle d'attente, celui qui ressemble à Louie. »

Dudley gémit. « Je vais chercher ces listes. Tout de suite. Immédiatement. »

Il se leva d'un bond et sortit en courant, s'arrêtant à peine au passage pour prendre un gobelet de café qu'il emporta avec lui.

36

À sept heures et demie, la sonnerie du téléphone portable de Harry Crater réveilla Gwendolyn et Fredericka. Fredericka, l'aînée des deux fillettes s'assit dans son lit, fouilla dans sa bourse et en retira le téléphone.

« Bonjour ! Fredericka à l'appareil ! » répondit-elle de sa voix haut perchée, comme on le lui avait appris dans son cours de maintien : « Un bonjour aimable avant d'indiquer votre nom. »

« J'ai dû me tromper de numéro », marmonna une voix rogue.

Un *clic* sonore indiqua à Fredericka que l'inconnu avait raccroché.

« Quel mal élevé », dit-elle à sa sœur. « Quand on se trompe de numéro, on doit s'excuser d'avoir dérangé le destinataire de l'appel. Bon, je m'en fiche, il est l'heure de descendre à l'infirmerie et de réconforter l'oncle Harry. »

Le téléphone sonna à nouveau.

« À mon tour ! » s'écria Gwendolyn, huit ans, en tendant la main. « Bonjour. Gwendolyn à l'appareil ! »

Gwendolyn entendit proférer un mot défendu. « Quel est votre numéro ? demanda l'interlocuteur.

— Je ne sais pas. C'est le téléphone de l'oncle Harry.

— L'oncle Harry ! Où diable est-il passé ?

— Il est à l'infirmerie. Nous nous apprêtons à lui rendre visite.

— Que lui est-il arrivé ?

— Il est tombé et n'a pas pu se relever. On a dû l'emporter sur une civière à l'infirmerie. »

Gwendolyn entendit le même mot défendu, suivi d'un ordre cassant : « Dites-lui d'appeler son médecin personnel.

— Merci, docteur. Je vais transmettre tout de suite votre message. Bonne journée. » Elle ferma l'appareil. « Ce médecin avait l'air de mauvaise humeur, dit-elle à sa sœur.

— La plupart des vieilles personnes sont de mauvaise humeur, répliqua Fredericka. Tous ceux à qui nous rendons visite le matin sont ronchons. C'est notre mission de les rendre heureux, mais ça devient de plus en plus difficile. Habillons-nous et allons-y. »

Trois minutes plus tard, vêtues de shorts identiques et des T-shirts confectionnés pour la croisière, les deux fillettes prirent les dessins qu'elles avaient faits pour l'oncle Harry avant de se coucher. Fredericka avait représenté le soleil se levant au-dessus d'une montagne. Le chef-d'œuvre de Gwendolyn avait pour sujet un hélicoptère atterrissant sur un bateau.

Tout doucement, Fredericka ouvrit la porte de communication avec la cabine de ses parents. À travers l'entrebâillement, elle les entendit tous les deux ronfler. « Situation normale, annonça-t-elle à sa sœur. Allons-y. Nous serons de retour avant leur réveil. »

À l'infirmerie, Allison Keane, l'infirmière de jour, leur annonça que M. Crater avait déjà regagné sa cabine. « Je ne pense pas qu'il ait envie de recevoir des visites », ajouta-t-elle.

Les deux enfants montrèrent leurs œuvres. « Mais nous avons fait des dessins pour lui.

— C'est adorable », déclara l'infirmière hypocritement. « Si vous les laissez ici, je les lui ferai parvenir.

— Mais nous voulons le voir. Nous aimons beaucoup l'oncle Harry.

— Je regrette. Je ne peux pas vous donner le numéro de sa cabine », dit Allison Keane d'un ton ferme.

Gwendolyn tenta de protester :
« Mais... »

Fredericka lui donna un coup de coude. « Tant pis, dit-elle. Peut-être descendra-t-il dîner plus tard. Merci, madame Keane. » Fredericka fit une révérence et elles se hâtèrent de sortir.

« Mais je voulais voir l'oncle Harry, pleurnicha Gwendolyn.

— Suis-moi. » Fredericka trouva un poste de téléphone intérieur dans le couloir entre leurs cabines. Elle décrocha et demanda la cabine de Harry Crater. Quand elle l'eut au bout du fil, il paraissait furieux. « Comment allez-vous ? demanda Fredericka après s'être présentée.

— Très mal. Que voulez-vous ?

— Nous avons fait des dessins pour vous et nous voulions vous les apporter. Nous sommes sûres que vous vous sentirez bien mieux après les avoir vus.

— Je me repose. Fichez-moi la paix.

— Nous avons aussi votre téléphone portable. »

Ce fut au tour de Fredericka d'entendre le mot défendu. « Où êtes-vous ? demanda Crater.

— Et *vous*, où êtes-vous, oncle Harry ? Nous allons vous le rapporter. »

Crater leur communiqua le numéro de sa cabine. Quelques minutes plus tard, les fillettes frappaient à sa porte. Quand il ouvrit, il était clair qu'il n'avait pas l'intention de les inviter à entrer.

« Votre médecin a appelé ! annonça Fredericka. Il veut que vous le rappeliez.

— Ça ne m'étonne pas », marmonna Crater en s'emparant du téléphone.

« Voilà nos dessins ! dit fièrement Gwendolyn. Si vous avez du scotch, nous les fixerons au mur. »

Crater contemplait le dessin de l'hélicoptère atterrissant sur un bateau. « Qui a dessiné celui-là ? demanda-t-il.

— Moi ! » répondit fièrement Gwendolyn. « Est-ce que je pourrai monter dans votre hélicoptère un jour ?

— Comment sais-tu que j'ai un hélicoptère ?

— Quand ils vous ont emmené à l'infirmerie hier soir, quelqu'un a dit à maman et à papa que, si vous étiez encore plus malade, si vous risquiez de mourir, quelque chose comme ça, alors votre hélicoptère viendrait vous chercher. C'est drôlement chouette !

— Ouais, ouais. Écoutez, mes petites, j'ai besoin de me reposer.

— Nous reviendrons plus tard vérifier que vous n'êtes pas tombé à nouveau. Nous aimons bien nous occuper des vieilles personnes malades. »

Crater leur claqua la porte au nez.

Les fillettes haussèrent les épaules en l'entendant fermer à double tour. « Comme dirait papa : "Il n'est pas de bonne action qui ne reste impunie, fit Gwendolyn. Mais Dieu nous regarde et sourit."

— Allons chercher du café pour papa et maman, suggéra Fredericka. Tu sais que maman a toujours besoin de son café le matin. »

Comme un troupeau d'éléphants, les gamines s'élancèrent bruyamment dans le couloir, ne pensant qu'à accomplir leur deuxième bonne action de la journée.

37

Dans le salon de sa suite, encore vêtu de son pyjama à rayures bleues et blanches, le Commodore était assis en tailleur sur le sol à la recherche de la paix intérieure. Il se préparait aussi à regarder stoïquement les informations en provenance de Miami qui allaient être transmises par satellite. À ce stade, atteindre la paix intérieure était un rêve inaccessible. Il avait imaginé qu'être propriétaire du *Royal Mermaid* lui apporterait le réconfort tant recherché après trois mariages malheureux et la disparition d'une mère adorée. Il n'avait pas eu cette chance.

Le Commodore n'avait rien mangé ce matin. Éric l'avait rejoint dans sa suite et lui avait raconté l'accident d'Alvirah Meehan au moment précis où Winston entrait en poussant la table roulante du petit déjeuner. Maintenant, il se demandait quelle catastrophe l'attendait encore. Comme pour répondre à cette question, le thème musical insistant du bulletin de huit heures jaillit de la télévision.

« Bonjour à toutes et à tous », lança le présentateur souriant à la caméra. « Nous sommes le 27 décembre. Parmi les nouvelles du jour, la plus importante concerne la poursuite des recherches concernant Tony Pinto, dit Bille en Tête. Cette traque prend un tour nouveau. L'homme a été signalé à diverses reprises aussi bien près de la frontière mexicaine qu'au Canada, mais tous ces témoignages se sont révélés faux. Sa femme, dans leur maison de Miami, se déclare très inquiète au sujet de "son Tony". Elle prétend qu'elle a constaté sa disparition à son réveil hier matin. Elle craint que l'angoisse à l'approche de son procès n'ait entamé son désir de lutter, qu'il ait perdu tout souvenir de sa vie passée et erre au hasard. Elle a offert une récompense de mille dollars à quiconque fournirait des informations pouvant nous conduire à lui. »

« Mille dollars ! Laissez-moi rire », murmura le Commodore. On frappa à la porte. « Entrez ! » aboya-t-il.

Dudley pénétra dans la pièce et le Commodore lui fit signe de se taire.

« ... Mme Pinto a fait distribuer des tracts dans toute la ville avec une photo de Bille en Tête arborant le Diplôme des citoyens méritants qui lui a été décerné par un groupe inconnu... »

« Va-t-il falloir que je prenne la fuite à mon tour et disparaisse pour échapper à mes ennuis ? se demanda le Commodore, de plus en plus déprimé. J'avais cru que ma vie en mer serait insouciante, pleine de satisfactions... »

« ...Et à présent, continua le présentateur, voici Bianca Garcia qui va nous en dire davantage sur la Croisière de Noël qui a quitté le port de Miami il y a moins de vingt-quatre heures. Bianca ? »

La caméra se tourna vers Bianca, qui, malgré une nuit presque blanche, n'avait jamais eu l'œil aussi vif.

196

En esprit, elle était déjà au Rockefeller Center en train de présenter l'émission *Today*.

« Laissez-moi vous dire, Adam, que cette étrange croisière poursuit sa route en haute mer, et que la soudaine tempête qui a secoué le bateau hier est le moindre de leurs problèmes. »

Le Commodore essaya de se lever, mais il avait des fourmis dans les jambes. Il perdit l'équilibre et tomba maladroitement sur le côté.

Bianca rappela rapidement les événements précédents.

« Hier soir après l'émission, un de mes contacts à bord m'a fourni de nouvelles informations. Nous ne sommes pas au bout de nos surprises. Deux costumes de Père Noël ont été volés dans une réserve soigneusement fermée à clef, et une passagère appartenant au groupe des Écrivains et Lecteurs s'est ruée dans la salle à manger en hurlant, prétendant avoir vu le fantôme de Louie Crochet du Gauche dans la chapelle ! Il y a quelques instants, j'ai appris que la célèbre gagnante du Loto Alvirah Meehan avait glissé et fait une chute en tentant de rattraper un des Pères Noël qui semblait vouloir la fuir. Quelle grossièreté ! Je croyais que seules des bonnes âmes participaient à cette croisière. Que se passe-t-il donc ? Hier soir, j'ai dit que le fantôme du premier propriétaire du bateau, Angus MacDuffie, hantait le bâtiment. Maintenant une passagère prétend avoir vu Louie Crochet du Gauche. » Les photos des deux hommes apparurent à l'écran. « C'est incroyable, non ? Deux costauds en short écossais. Personnellement, je pense qu'il s'agit du fantôme de MacDuffie.

« Disons les choses telles qu'elles sont. MacDuffie était un original. Il a passé toute sa vie sur ce bateau, même après qu'il eut fini dans le jardin de la propriété familiale qu'il avait héritée de ses parents. Son père et sa mère se passionnaient pour tout ce qui était ancien, qu'il s'agisse d'une sculpture grecque ou d'une vieille planche à laver hors d'usage. Et ils ne jetaient rien. La maison était encombrée d'un tel bric-à-brac qu'elle aurait pu prendre feu à tout moment. Le yacht était le refuge de MacDuffie. Il aimait être en mer, se plaisait au large, disait qu'il ne quitterait jamais son bateau, et pour moi il est toujours à bord !

« Lequel de ces deux hommes hante le *Royal Mermaid* ? Louie Crochet du Gauche, à qui cette croisière rend hommage, ou "Mac" MacDuffie qui jurait que le bateau lui appartiendrait à jamais ? Donnez-moi votre avis. Tant que mes espions à bord continueront à m'informer depuis la mer des Antilles, je vous tiendrai au courant... »

Winston était entré dans la pièce pendant le bulletin d'informations. Il avait apporté au Commodore du café frais et des toasts, espérant que l'appétit de son patron allait revenir.

« Elle veut ma mort ! » s'écria le Commodore.

Winston tenta de le calmer :

« Allons, allons, monsieur ! Vous verrez les choses différemment lorsque vous aurez bu une tasse de café. Vous savez bien que votre café du matin vous remonte toujours le moral.

— Mon bon Winston, vous savez toujours ce dont j'ai besoin », dit le Commodore en jetant un regard assassin à l'écran de télévision où apparaissait maintenant un spot pour un parfum d'ambiance.

« Commodore Weed, annonça Dudley, feignant un enthousiasme qu'il n'éprouvait pas, j'ai envoyé un communiqué de presse hier soir et un autre ce matin. Je suis sûr qu'ils vont rétablir la situation.

— Avez-vous obtenu des réactions ?

— Pas encore, mais... »

Le Commodore secoua la tête. « Ma pauvre mère ! soupira-t-il en soulevant sa tasse de porcelaine. Ses cendres doivent se retourner à l'intérieur de cette boîte. »

Dudley contempla la vitrine. La boîte en argent contenant les cendres était parfaitement immobile, mais il avait autre chose en tête. Il s'adressa à Winston : « Je prendrais volontiers une tasse de café, moi aussi, Winston. Puis, si vous n'y voyez pas d'inconvénient, j'aimerais m'entretenir en privé avec le Commodore. »

Winston se figea. « Je dois aller à la cuisine chercher un gobelet, dit-il dédaigneusement. Je sais que vous les préférez aux tasses, ajouta-t-il d'un air condescendant.

— Winston, vous remarquez tout et n'oubliez rien, dit le Commodore. J'ai vraiment de la chance de vous avoir.

— Les bons serviteurs sont toujours difficiles à trouver », acquiesça Dudley.

Quelques instants après, Winston déposa un gobelet sur la table basse devant Dudley et souleva la cafetière de métal argenté pour le remplir. Lorsqu'il prit son gobelet, Dudley aurait juré que Winston l'avait passé sous l'eau glacée. L'anse était gelée. Après le départ du maître d'hôtel, il se racla la gorge.

« Avant tout, monsieur, où est Éric ?

— Il était ici il y a peu de temps. Il s'est levé tôt pour aller prendre des nouvelles de Crater, puis il est remonté, a pris une douche et s'est habillé, avant de ressortir pour s'occuper d'autres passagers. Il ne reste jamais inoccupé. Il m'a raconté ce qui était arrivé à Mme Meehan, mais comment cette journaliste a-t-elle pu le savoir si rapidement ? Je me demande qui peut l'informer sur ce bateau. Et lequel de nos Pères Noël s'est montré si peu attentionné ? »

Dudley comprit qu'Éric n'avait pas dit à son oncle que, selon le Dr Gephardt, quelqu'un avait tenté d'étouffer Crater. Il jugea qu'il était de son devoir d'en informer le Commodore. Cela rendrait plus acceptable la proposition qu'il s'apprêtait à lui faire. Il prit donc son courage à deux mains et mit le Commodore au courant de la conversation qu'avait surprise Alvirah.

Le Commodore fut frappé d'effroi. « Pourquoi Éric ne m'en a-t-il rien dit ?

— Il cherchait sans doute à vous épargner, mais je pense au contraire qu'il est préférable de savoir les choses.

— Éric est si attentionné. Mais comment ferons-nous si cette nouvelle s'ébruite ?

— Je peux garantir que ni les Meehan ni les Reilly n'en diront un mot. Je vais communiquer à Jack Reilly la liste des passagers et des membres de l'équipage – il l'a demandée. Son bureau de New York va vérifier les noms pour voir si... » Dudley s'interrompit. « S'il y a quelqu'un de dérangé parmi nous.

— Celui ou celle qui informe cette journaliste rôde sur mon bateau à l'affût de ragots », dit le Commodore d'un air dégoûté. « Et il profite d'une croisière gratuite ! Jamais je ne pourrai me sortir de ce guêpier.

— Si, vous le pouvez ! Et votre sainte mère va vous aider !

— Ma mère ? » interrogea le Commodore d'une voix plus ferme.

« Oui, monsieur. Je parie que cette journaliste serait intéressée par l'histoire émouvante de l'immersion des cendres de Mme Weed du haut du pont de ce bateau.

— Vous croyez ?

— Absolument. Mais vous ne pouvez pas attendre jusqu'à demain matin. Il faut que ce soit annoncé aux nouvelles de ce soir.

— Mais l'anniversaire de maman est demain ! Je voulais l'immerger ce jour-là.

— À quelle heure est-elle née ?

— À trois heures du matin.

— Votre mère n'est-elle pas née à Londres ?

— Si.

— Alors on était encore le 27 décembre dans cette partie du monde. »

Le Commodore considéra ce point de vue. « Vous pensez que nous aurions un reportage intéressant sur la cérémonie ?

— J'en suis certain. Faites-moi confiance, monsieur. Les gens sont de plus en plus nombreux à partir en croisière pour jeter par-dessus bord les cendres d'un parent bien-aimé. Cette redoutable journaliste sera certainement ravie d'avoir une vidéo de la cérémonie. Les spectateurs seraient pour le moins intrigués. Nous pourrions tout organiser ce soir au coucher du soleil. Et, croyez-moi, vous aurez beaucoup plus de monde pour y assister que si vous les invitez demain à l'aube. »

Le Commodore se tourna vers la vitrine. « Qu'en penses-tu, maman ? » demanda-t-il.

Dudley s'attendait presque à voir la boîte s'ouvrir et une tête en jaillir.

« Vous dites qu'il y aura davantage de gens ? demanda le Commodore.

— Beaucoup plus, monsieur. La cérémonie aura lieu sur le pont. Vous ferez un discours émouvant et bref, puis nous chanterons quelques cantiques et, pour finir, lorsque vous aurez jeté les cendres de Mme Weed par-dessus bord, nous lèverons nos coupes de champagne en son honneur. »

Le Commodore hésita. « N'est-ce pas là exploiter l'immersion des cendres de maman pour servir ma propre cause ?

— C'est votre mère, répondit vivement Dudley. Elle serait heureuse de savoir qu'elle peut vous aider à sortir de ce pétrin. »

Le Commodore réfléchit. « Je sais qu'elle serait heureuse, dit-il. Elle était si généreuse. Vous avez dit que la cérémonie aurait lieu sur le pont. Pourquoi pas dans cette jolie chapelle que j'ai fait édifier uniquement pour cette occasion ?

— Elle est trop petite. Je vais m'assurer que tout le monde à bord de ce bateau sera présent ce soir. Nous allons afficher des avis, faire des annonces par haut-parleurs et, à l'heure du déjeuner, lorsque tout le monde sera rassemblé, nous irons de table en table, rappelant à nos invités de ne pas manquer la cérémonie.

— Très bien, Dudley. Je pense que je vais passer la journée seul avec maman. Il ne me reste plus que neuf heures à partager avec elle et... » sa voix se brisa, « j'aimerais en profiter au maximum.

— Vous devriez vraiment faire une apparition au déjeuner, monsieur. Votre présence sera la preuve que tout se déroule pour le mieux.

— Vous avez encore raison, Dudley. » Le Commodore se leva. « Quand j'étais gamin, maman n'aimait pas que je traîne en pyjama.

— Je vais préparer les annonces et mettre l'équipage au courant, dit Dudley. Je ne vous dérangerai qu'en cas d'absolue nécessité. »

38

Crater était fou de rage. Non seulement quelqu'un avait essayé de le tuer, mais à présent c'était sa serviette contenant les liasses de billets et ses divers passeports qui avait disparu. Heureusement que ces insupportables gamines lui avaient rapporté son téléphone portable.

Quelqu'un était venu dans sa cabine pendant son absence. Cela ne faisait pas un pli ! Et si ledit quelqu'un cherchait seulement l'argent et avait jeté la serviette, mieux vaudrait que personne n'y fourre son nez. En voyant tous les passeports, le premier venu saurait qu'il se tramait quelque chose. Pire encore, est-ce que l'individu qui avait essayé de le tuer allait recommencer ?

Crater envoya un appel à son homme de confiance et expliqua laconiquement pourquoi les gosses s'étaient trouvées en possession du téléphone. « Vous êtes toujours prêts à débarquer demain à l'aube ? demanda-t-il. Je n'aurai certainement aucun mal à simuler une urgence médicale à présent. »

On le rassura. « Nous sommes prêts. Nous avons vu les nouvelles à la télévision. Avec tous les problèmes qu'il y a sur ce bateau, pensez-vous que notre mission en sera affectée ?

— Quelqu'un a cru avoir vu un fantôme, et alors ? s'exclama Crater. Oubliez ça ! C'est la dernière chose dont je me soucie. Quant à vous, les gars, vous ferez bien de vous magner quand vous débarquerez sur le pont demain matin. Nous aurons peu de temps. Et nous nous en tirerons beaucoup mieux si personne n'est blessé. Ne loupez pas votre coup. »

Crater savait qu'il pouvait compter sur la loyauté des trois hommes qui arriveraient en hélicoptère. Après un moment d'hésitation, il préféra taire qu'on avait tenté d'attenter à sa vie. Ces types ignoraient qu'il n'était pas le patron sur ce coup-là. Ils ne savaient même pas qu'elle existait.

Et c'était elle qui l'avait voulu ainsi, se rappela-t-il. Sa part était suffisamment importante pour qu'il accepte de se conformer à ses désirs. Il ne demandait qu'à mener à bien ce boulot, ramasser son fric et aller fêter la nouvelle année sur la terre ferme.

Il alluma la télévision et tomba sur une séquence des informations concernant Tony Pinto et les faux indices qui le disaient au Canada et au Mexique. Crater sentit ses lèvres se dessécher en voyant la photo de Pinto emplir l'écran.

Les mots que son prétendu assassin avait murmurés traversèrent son esprit. « C'est ce que tu mérites. »

« Bille en Tête a juré qu'il m'aurait après que j'ai trahi son père », se souvint Crater. Il s'aperçut brusquement qu'il y avait une forte ressemblance entre Tony et cet écrivain dont la photo était affichée partout dans le bateau. « Minute, pensa-t-il. À l'époque où je travaillais avec Pinto Senior, n'ai-je pas entendu dire que le frère de sa femme était un boxeur qui s'était mis à écrire une fois à la retraite ? Il est donc possible... »

Une tempête s'éleva sous son crâne. « Cette femme qui hurlait qu'elle avait vu l'écrivain dans la chapelle, la tentative pour m'assassiner, la ressemblance de Bille en Tête avec les photos de cet écrivain, il y a une grande chance que tout ça soit lié. »

« C'est ce que tu mérites. » La phrase lui revenait sans cesse.

Crater eut soudain l'estomac au bord des lèvres. Les journalistes avaient raison. Bille en Tête ne se trouvait ni au Canada ni au Mexique.

Il sut au plus profond de lui-même que l'homme qui avait juré de le suivre à la trace se cachait quelque part à bord de ce bateau.

39

Le Lido se trouva bientôt bondé. Préférant que personne ne surprenne leur conversation, les Reilly avaient rejoint les Meehan dans leur cabine afin de pouvoir parler en paix et qu'Alvirah puisse s'étendre sur son lit.

« Je suis plus en sécurité ici qu'à l'infirmerie, déclara-t-elle. Mais qui peut dire si quelqu'un est en sécurité sur ce bateau ? Je suis navrée de vous avoir entraînés dans cette aventure.

— C'est faux, vous n'êtes pas désolée du tout, dit Nora en souriant.

— Vous attirez les ennuis, et ce n'est pas pour vous déplaire, renchérit Luke.

— Je dois avouer que ça m'excite », dit Alvirah qui regretta aussitôt d'avoir hoché la tête en sentant une douleur aiguë lui traverser le front. « J'ai toujours préféré travailler pour des gens un peu à part, déclarat-elle. C'était beaucoup plus drôle que de ranger l'habituel fatras de la moyenne des gens.

— Vous n'êtes même pas en sécurité avec le Père Noël », fit remarquer Luke.

Alvirah s'éclaircit la voix, désireuse de revenir à leur affaire : « Je sais que je n'ai aucune preuve, mais on dirait bien que quelqu'un a réellement essayé de tuer Crater. Pourquoi lui, et pourquoi le nie-t-il ? Si j'ai raison, cela signifie qu'il y a un tueur en puissance sur ce bateau, et qu'il est capable de frapper à nouveau. Le problème est que vous ne pouvez pas taper sur l'épaule du premier venu et lui demander s'il aurait par hasard essayé d'étouffer Crater.

— Dudley m'a promis de me communiquer la liste des passagers et des membres d'équipage, dit Jack. Mon bureau l'aura vérifiée d'ici deux heures. Ils verront tout de suite s'il y a quelqu'un d'intéressant dans la liste. Et nous saurons aussi de quoi il retourne avec Crater.

— Autre chose », dit Alvirah.

S'efforçant d'ignorer la violence de son mal de tête, elle ouvrit le tiroir et y chercha le jeu de cartes. Elle expliqua comment elle avait découvert les signes particuliers sur les figures, et comment on pouvait les lire en les tenant devant un miroir grossissant. « Willy a trouvé les cartes dans le tiroir de la cabine qui était précédemment celle d'Éric, mais Éric ne semblait pas au courant de leur existence quand nous avons voulu les lui rendre. À mon avis, elles pourraient être un indice permettant de débrouiller ce sac de nœuds. »

Le téléphone d'Alvirah sonna. C'était Dudley. Elle brancha le haut-parleur. « Je réunis tous les Pères Noël dans un quart d'heure dans mon bureau et j'ai la liste des passagers et des membres d'équipage.

— Jack et moi arrivons sur-le-champ, dit Regan.

— Entendu. »

Dudley raccrocha.

Au moment où ils s'apprêtaient à quitter la cabine d'Alvirah, Jack s'empara du jeu de cartes. « Je parie qu'elles appartiennent à un tricheur professionnel, dit-il. Je vais voir si je peux trouver une signification à ces symboles. Il y a chez nous un spécialiste des fraudes de jeu ; il saura peut-être ce que signifient ces marques, si elles ont une signification quelconque. »

Alvirah aurait voulu accompagner Regan et Jack, mais elle savait que la réponse serait non si elle en émettait le désir. Avec regret, elle les regarda franchir la porte.

« Je vais continuer à cogiter, cria-t-elle derrière eux. Comptez sur moi. »

40

Les dix Pères Noël, dont huit étaient déguisés, se tenaient pressés les uns contre les autres dans l'étroit bureau de Dudley. Vérifier rapidement les costumes ne posa aucun problème. Les huit bonnets avaient leurs grelots. L'histoire de l'accident d'Alvirah s'était rapidement répandue et le fait qu'un prétendu Père Noël ait délibérément ignoré Alvirah avait soulevé l'indignation générale chez tous les autres, y compris chez Bobby Grimes.

« Ce type donne de nous une image lamentable », dit-il avec une sorte de ferveur. « Cela confirme ce que j'ai dit hier soir, nous ferions bien d'être tous sur nos gardes. »

Dudley jeta un coup d'œil à Jack, qui prit la parole : « Nous avons besoin de votre aide, expliqua-t-il. Nous sommes tous d'accord sur un point : l'individu qui a pris ces vêtements est soit un passager, soit un membre de l'équipage qui a en tête une série de mauvaises blagues. Cependant, comme nous l'avons vu avec Mme Meehan, ces blagues peuvent provoquer des accidents. Tous les dix, vous pouvez être très utiles, à condition que nos propos ne sortent pas de cette pièce. Pendant le reste de la traversée, gardez les yeux ouverts, cherchez un Père Noël qui n'aurait qu'un grelot à son bonnet. Il faut que nous le retrouvions.

— Avec ma chance habituelle, le grelot va tomber de mon bonnet, maugréa Bobby Grimes.

— Nous savons qui vous êtes, le rassura Jack avec un sourire.

— Qui ferait un truc pareil ? » demanda Nelson pour la forme.

Dudley haussa les épaules. « Votre boulot de Père Noël était de deviner les désirs des petits et grands pour Noël. Celui que nous vous confions aujourd'hui est de nous aider à trouver ce fauteur de troubles.

— Le problème est qu'il nous faudra regarder ce Père Noël de dos pour voir combien de grelots il a à son bonnet, fit observer Ted Cannon.

— Nous y avons pensé, lui répondit Dudley. C'est pourquoi je vais vous distribuer les insignes-souvenirs du *Royal Mermaid* dès maintenant, et non en cadeau d'adieu, à la fin de la croisière. Piquez-les sur le devant de votre veste et ils vous identifieront comme un des Pères Noël officiels de la croisière.

— Nous avons tous regardé la télévision, dit Nelson en secouant la tête. Il est sûr qu'on a beaucoup parlé de ce bateau.

— Les journalistes en font des tonnes, répliqua Dudley d'un ton allègre. Et tout ça nous ramène à notre mauvais plaisant.

— Le serveur qui a sauté par-dessus bord était-il un plaisantin lui aussi ? demanda l'un des Pères Noël. Qui sont ses amis ? Peut-être que l'un d'eux tire les ficelles.

— Ça, c'est mon boulot, dit Jack. Nous sommes en train de procéder à toutes les vérifications.

— Je voudrais vous rappeler que vous êtes les invités personnels du Commodore sur cette traversée, dit Dudley avec gravité. Je serai franc. Cette publicité défavorable pourrait signifier la fin de son rêve – son bateau. D'un autre côté, si vous contribuez à créer une atmosphère sereine et agréable parmi les passagers, vous offrirez au Commodore la seule chose qu'il ait jamais désirée dans sa vie – la chance de commander un bateau de croisière sur lequel les gens peuvent oublier leurs ennuis et être heureux. »

Bien parlé, Dudley, pensa Regan.

« Une autre question d'importance, ajouta Dudley. Le Commodore était très proche de sa mère. Ses cendres se trouvent à bord. Nous avons prévu un service commémoratif en son honneur ce soir sur le pont promenade, au coucher du soleil. Tous les passagers sont invités à y assister. Ce sera une cérémonie très brève, à peine quelques cantiques, puis le Commodore dira adieu à sa mère au moment où il immergera la boîte qui contient ses cendres, après quoi nous partagerons une coupe de champagne.

— Pourquoi ses cendres doivent-elles être jetées à la mer dans une boîte ? Je pensais que vous les disperseriez au vent, demanda Grimes avec un froncement de sourcils.

— C'est contraire aux principes écologiques, expliqua Nelson. On ne voit ça que dans les films. Mon psy m'a dit que l'un de ses patients voulait répandre les cendres de son père aux alentours de tous les bars qu'il avait l'habitude de fréquenter, mais inutile de vous dire que la ville de New York lui a dit qu'il ferait mieux de sauter dans l'Hudson avec les cendres de son père.

— À condition qu'elles soient encore enfermées dans une boîte, ajouta quelqu'un.

— Je voudrais que vous escortiez le Commodore ce soir, poursuivit Dudley. Vêtus de vos costumes, vous serez huit à les accompagner, lui et sa mère, tandis qu'il quittera sa suite et se rendra à la chapelle pour une courte prière, avant de gagner le pont promenade où le reste des passagers et l'équipage attendront. Qui veut faire partie de la procession ? »

Dix mains se levèrent.

Dudley sourit. « Nous allons tirer à la courte paille. Et qui sait ? Si jamais nous récupérons les costumes aujourd'hui, vous pourrez tous en faire partie. »

41

Highbridge et Bille en Tête, conscients que chaque minute les rapprochait de Fishbowl Island et de la liberté, étaient accroupis sous l'autel de la chapelle. Les mains agrippées à leurs genoux, ils se tortillaient désespérément, cherchant en vain une position confortable.

Rester silencieux leur était également difficile. La respiration normalement bruyante de Bille en Tête paraissait horriblement sonore aux oreilles d'un Highbridge de plus en plus nerveux. Tony n'était pas plus heureux. L'humidité froide de son costume lui transperçait le corps, le secouant de frissons et de démangeaisons. Ils avaient tous les deux ôté leurs barbes, les conservant sur leurs genoux pour pouvoir les rattacher en un instant. « À quoi bon de toute façon ? pensa Highbridge. Supposons que quelqu'un se pointe et soulève cette nappe. Que sommes-nous supposés faire ? Prétendre que nous jouons à cache-cache ? »

Fatigués et conscients d'être extrêmement vulnérables dans cet endroit public, ils espéraient, contre tout espoir, que personne ne les trouverait avant qu'Éric ne se pointe enfin et ne les ramène dans le refuge relatif de sa cabine.

À neuf heures trente, entendant la porte de la chapelle s'ouvrir, ils se raidirent. Bille en Tête cessa presque de respirer.

Une voix dit : « Nous y voici, maman. »

Mais il n'y eut pas de réponse.

Des pas remontaient l'allée, s'approchaient de l'autel. Une sueur d'effroi les envahit. Les pas s'arrêtèrent à la hauteur de ce qui devait être le premier ou le second rang, et un faible grincement suggéra que quelqu'un s'asseyait.

« C'est une jolie chapelle, n'est-ce pas maman ? »

À nouveau pas de réponse. Bille en Tête et Highbridge se regardèrent, sidérés.

« Je devais t'immerger demain à l'aube, mais nous avons préféré avancer la cérémonie et la célébrer ce soir au coucher du soleil. J'espère que tu n'y vois pas d'inconvénient. Dudley a dit que tu n'en verrais pas – que c'est justement la vocation des mères : se montrer compréhensives dans les moments difficiles. Nous avons eu beaucoup d'ennuis depuis que nous avons pris la mer. Je jure que si je trouve ceux qui ont volé les costumes de Père Noël, je les rouerai de coups jusqu'à les réduire en chair à pâté. Pardon, maman, je sais que je ne devrais pas parler ainsi. Je ne cesse de penser à tous ces voyages que nous avons faits ensemble. Te souviens-tu du jour où ton chapeau s'est envolé pendant cette traversée sur le vieux *Queen Elizabeth* ? Quelqu'un depuis un pont supérieur a vu le chapeau flotter sur l'eau et a cru que tu l'avais toujours sur la tête. Il a crié : "Une femme à la mer !" »

Le Commodore rit doucement. « C'est alors que tu as dit que tu aimerais que la mer soit l'endroit de ton dernier repos. Et je t'ai fait la promesse que tu serais immergée en mer. Aujourd'hui, je tiens cette promesse… »

Pendant cinq minutes le Commodore resta assis en silence, la boîte en argent repoussé posée sur ses genoux, laissant les tendres souvenirs de sa mère envahir son esprit. Il se leva au moment où la porte de la chapelle s'ouvrait. La femme qui avait hurlé avoir vu Louie Crochet du Gauche se tenait devant lui.

« Commodore Weed ! Je suis si contente de vous trouver ici. Je redoutais de revenir dans la chapelle, mais on dit qu'il faut savoir affronter ses peurs. C'est ce que j'ai voulu faire, et j'ai la chance que vous soyez ici en même temps que moi.

— Tout le plaisir est pour moi », dit le Commodore d'un ton cassant.

Ivy Pickering comprit aussitôt qu'il lui en voulait du tumulte qu'elle avait provoqué. « Je vois bien que vous êtes en colère contre moi, commodore Weed, et je peux le comprendre, mais je vous affirme avoir vu quelqu'un ici même dans la chapelle hier soir. Je ne cherchais pas à causer des ennuis. » La voix d'Ivy s'était mise à trembler.

Bille en Tête et Highbridge retinrent leur respiration. « Pitié, mon Dieu, pensa Highbridge, faites qu'elle ne regarde pas sous l'autel. »

« Cette croisière est la chose la plus agréable qui me soit arrivée de toute ma vie, poursuivit Ivy. Ce bateau est si beau, la cuisine est délicieuse, les gens sont formidables. Je sais que vous êtes responsable de tout ça, et je sais que ce bateau représente tout ce dont vous avez toujours rêvé et je ne voudrais rien faire qui puisse détruire ce rêve. »

Malgré lui, le Commodore fut touché. « Merci, mademoiselle Pickering. J'apprécie vos sentiments. On ne m'a pas montré beaucoup de gratitude jusqu'ici et je dois avouer que je me suis senti blessé. » Il la regarda plus attentivement. « Allons, allons, vous n'allez pas vous mettre à pleurer. »

Ivy s'essuya les yeux et prit conscience de l'objet que le Commodore tenait entre ses mains. « C'est un beau coffret à bijoux que vous avez là. Ma mère en a un presque similaire. »

Le Commodore lui saisit la main. « Votre *mère* ? » dit-il dans un chuchotement. Il éleva la boîte. « Les cendres de ma mère sont à l'intérieur de cette boîte. Vous dites que votre mère en a une semblable ?

— Oui, mon papa la lui avait achetée dans la boutique d'un musée pendant leur lune de miel. Elle l'a toujours sur sa commode à la maison. »

La porte s'ouvrit à nouveau. Cette fois, c'était Éric, essoufflé, l'air bouleversé. Il les regarda fixement, regarda l'autel, puis de nouveau Mlle Pickering et son oncle. Il s'efforça de reprendre son calme. « Oncle Randolph, je viens d'apprendre tes intentions concernant grand-mère. » Avec son habituel manque de courtoisie, il ignora Ivy. « Ce sera merveilleux. »

Ivy tourna vers le Commodore un regard interrogateur. Il était clair qu'elle n'était pas au courant de la cérémonie qui devait avoir lieu au coucher du soleil.

Le Commodore lui effleura la main. « Voulez-vous venir prendre une tasse de thé avec moi dans ma suite et je vous expliquerai ? » demanda-t-il. Il s'inter-rompit. Il ajouta : « Je vous en prie. »

Le Commodore et Ivy laissèrent Éric dans la cha-pelle. Sans savoir ce qu'il allait trouver, il se précipita vers l'autel, se baissa et releva la nappe.

« Votre oncle est un cas grave », marmonna Bille en Tête. Puis il se rendit compte qu'il s'était retenu d'éternuer.

42

« Il n'y a pas de doute, je suis moins solide que je ne l'étais », dut s'avouer Alvirah. Sa tête la faisait réellement souffrir, et maintenant le reste de son corps accusait le coup. Devant son insistance, Willy s'était rendu au gymnase où il avait réservé un tapis de jogging pour dix heures. Entre-temps, Winston avait apporté à Alvirah du thé, des fruits et des toasts, et même Willy reconnut qu'à part le bandage et sa bosse grosse comme un œuf de pigeon sur le front, elle ne semblait pas trop mal en point. Alvirah dit : « Willy, vas-y. J'ai vraiment besoin de réfléchir. Mais d'abord allume la télévision. Je voudrais savoir ce qui se passe dans le monde.

— D'accord, dit Willy. Je serai de retour dans moins d'une heure. Ce Winston est toujours dans les parages. Si tu ne te sens pas très bien, tu n'as qu'à le sonner. »

L'état du monde n'avait pas beaucoup changé en vingt-quatre heures, depuis qu'elle avait vu un bulletin d'informations. C'était une semaine de vacances, et les hommes politiques avaient provisoirement cessé de s'affronter. Les soldes du lendemain de Noël dans les boutiques avaient atteint des records de vente. D'un autre côté, les gens avaient rendu plus de cadeaux cette année qu'on n'en avait rapportés pendant les dix dernières années. « Ce qui prouve le genre de camelote qu'ils offrent dans le seul but d'en avoir fini avec les achats de cadeaux », pensa Alvirah. Elle commençait à somnoler quand la photo de Tony Pinto-Bille en Tête apparut à l'écran.

« Sainte Vierge ! » murmura-t-elle. Elle se souvint d'avoir lu une quantité d'articles le concernant quand il vivait à New York et faisait souvent la une du *Post* et du *Daily News*. « J'adorais lire ce qu'on écrivait à son propos, dut-elle admettre. Il était si pittoresque. Il a passé quelque temps en prison pour des bricoles, mais ils n'ont jamais pu réunir contre lui des charges sérieuses. Tout le monde sait pourtant que c'est un meurtrier. Il avait la réputation de se débarrasser de tous ceux qui entravaient son chemin... »

« Et maintenant, disait le présentateur, les derniers rebondissements de la chasse à l'homme engagée pour retrouver le gangster Tony Pinto, qui a disparu de chez lui hier. Mais d'abord ce... »

Alivirah ne s'intéressa pas aux quatre spots de quinze secondes pour des médicaments divers et variés, l'esprit totalement occupé par l'incroyable ressemblance entre Tony Pinto et Louie Crochet du Gauche.

« Est-ce possible ? » se demanda-t-elle à voix haute. « C'est possible et *archipossible* », conclut-elle. Elle devait parler à Regan et à Jack. « Si Bille en Tête est en cavale à bord de ce bateau, a-t-il déjà tenté de commettre un meurtre ? Il a toujours été accusé de meurtre, jamais condamné. Et pour quelle raison aurait-il voulu tuer Crater ? Et s'il a vraiment essayé de le tuer, qui sera le prochain sur la liste ? »

Elle mit en marche son enregistreur. « Pinto vit à Miami. Il cherche à tout prix à quitter le pays. Ce bateau est parti de Miami le jour même de sa disparition. Il ressemble à l'écrivain dont la photo est affichée partout, le même individu que Ivy et Maggie ont cru avoir vu. Mais s'il est à bord, quelqu'un a dû l'aider à y monter, et quelqu'un le cache maintenant. Peut-être la personne qui a volé les costumes des Pères Noël. Mais qui ? »

Un soupçon qui se transformait rapidement en certitude s'était formé dans l'esprit d'Alvirah. « J'ai senti dès la première minute qu'il y avait quelque chose de bizarre chez ce neveu, Éric, dit-elle. Il est nerveux. Je ne serais pas surprise qu'il ait quelque chose d'important à cacher. » Au même moment son téléphone sonna. C'était Éric.

« Madame Meehan, j'espère que vous vous sentez mieux.

— Bien mieux.

— Ce jeu de cartes que M. Meehan m'a montré hier soir. Cela m'était complètement sorti de l'esprit. Un des officiers est venu boire un verre avec moi dans ma cabine la veille de votre arrivée. Ces cartes lui appartiennent. Il a dû les poser, et quand nous sommes allés dîner, j'imagine que Winston les a rangées dans mon tiroir, supposant qu'elles étaient à moi. Puis-je passer les prendre ? »

Alvirah ne crut pas un mot de ce qu'il lui racontait. « Je suis couchée et mon mari n'est pas là, dit-elle. Je vous rappellerai. Ou, si vous me donnez le nom de cet officier, Willy se fera un plaisir de les lui rapporter.

— Cela ne sera pas nécessaire. Il n'est pas en service en ce moment. Je passerai les prendre plus tard. »

« Tu parles », pensa Alvirah en raccrochant. « Attends un peu, mon bonhomme, que j'en parle à Jack et Regan », exulta-t-elle en décrochant à nouveau le téléphone et en composant un numéro.

43

Après son émission du matin, Bianca s'était
réjouie du nombre de mails qu'elle avait reçus. « Il
faut que je maintienne la pression », pensa-t-elle. Jusqu'à ce que ses contacts lui communiquent davantage de renseignements sur ce qui se passait à bord
du bateau, elle devait trouver un moyen de retenir
l'attention des auditeurs. Sinon, elle savait que même
si quelque chose refaisait surface dans deux jours, le
public se serait déjà tourné vers un autre sujet.

Ses auditeurs faisaient des paris : qui était le fantôme ? La plupart pensaient que c'était Mac. Puis
elle reçut un e-mail qui la laissa stupéfaite :

Chère Bianca,
Lorsque MacDuffie est mort il y a quelques
années, ma mère et moi avons assisté à la liqui-
dation de sa succession. Tous les antiquaires
étaient présents, passant ses affaires au peigne
fin. La plupart n'étaient que de la camelote !
Pourtant ma mère et moi n'avons pu résister à
l'achat de quelques meubles et d'un carton de
vieux journaux et de magazines pour vingt-cinq
cents ! Vous n'imaginerez jamais ce que nous

avons trouvé ! Le journal que MacDuffie a tenu pendant ses dernières années à bord de ce yacht ! Figurez-vous qu'il y raconte que son père avait dilapidé la plus grande partie de la fortune familiale en achetant un fameux coffret à bijoux dont il savait qu'il avait été volé dans un musée. Il affirmait qu'il avait été offert à Cléopâtre par Marc Antoine, et qu'il était sans prix. Je vous demande un peu ! Il avait fumé la moquette ou quoi ?

Mac note dans son journal qu'il ne peut pas vendre le coffret parce qu'il ruinerait l'honneur de sa famille, et de toute façon le musée le réclamerait. Voici ce qu'il écrit : « Je suis sur mon yacht et je pense à ce jour lointain, il y a cinq mille ans, où un beau Romain l'a offert à une jeune reine. » C'est ça, et ma mère et moi sommes les sœurs Gabor !!!

En tout cas, j'ai pensé que ça pourrait vous intéresser. Pour ma part, je parie que Mac hante ce bateau, et que Cléopâtre est peut-être à bord, elle aussi. À propos, ma mère et moi avons vérifié la liste des objets à vendre et il n'y avait pas de boîte à bijoux ayant appartenu à Cléopâtre !

*Votre fan,
Kimmie Keating*

« Parfait ! » pensa Bianca. Tout émoustillée, elle relut l'e-mail.

S'il y avait encore plus fascinant qu'une histoire de fantôme, c'était la disparition d'un trésor.

44

« Faire une liste, vérifier plutôt deux fois qu'une »,
chantonnait Dudley, cherchant sans succès à détendre
l'atmosphère après le départ des Pères Noël.

Jack téléphona à son assistant, Keith. « Le directeur de la croisière t'envoie par e-mail la liste des
passagers et des membres de l'équipage, expliqua-
t-il. Vérifie tous les noms, mais commence par Harry
Crater – c'est un passager. Je te rappelle dans
quelques minutes depuis ma cabine. » Jack raccrocha, se tourna vers Dudley et demanda : « Comment
Crater a-t-il atterri sur ce bateau ?

— Une infirmière m'a écrit pour me dire tout le
bien qu'il avait fait, ajoutant qu'il était très malade,
et que ce serait sa dernière croisière. »

Dudley sortit un dossier et tendit la lettre à Jack.
Y étaient détaillées les nombreuses donations que
Carter avait soi-disant effectuées durant l'année
passée.

« Pouvez-vous m'en faire une copie ?

— Bien sûr. »

Lorsque Regan et Jack eurent quitté le bureau de
Dudley, les listes en main, ils trouvèrent Ted Cannon
qui les attendait dans le couloir.

« Je ne voulais rien dire devant les autres, expliqua-t-il, mais il s'est passé une chose dont il me semble que vous devriez être informés. C'est peut-être sans importance...

— De quoi s'agit-il ? demanda Regan.

— Cet individu, Harry Crater, qui est à l'infirmerie. Je sais qu'il voyage seul. Au moment de me coucher, hier soir, j'ai entendu du bruit provenant de sa cabine. La télévision était allumée et j'ai entendu des gens parler, des tiroirs s'ouvrir et se fermer. J'avais vu qu'on l'emportait sur une civière, après sa chute pendant le dîner, et j'ai cru qu'on l'avait reconduit dans sa cabine. Apparemment, ce n'était pas le cas. Cela m'a semblé bizarre et j'ai pensé que vous aimeriez être au courant.

— Ces choses sont toujours bonnes à savoir, dit Jack.

— Sait-on maintenant qui était l'individu qu'a vu Maggie dans la salle d'attente ? demanda Ted.

— Je ne crois pas, lui répondit Regan.

— J'avoue que rétrospectivement je suis inquiet à la pensée que Maggie était seule dans cette salle au milieu de la nuit, au moment où un parfait inconnu rôdait dans les parages. »

« Il n'a pas tort, songea Regan. Et encore ignore-t-il que cet homme a peut-être tenté d'étouffer Crater. Maggie aurait pu courir un grave danger, surtout s'il n'y a pas de motif à cette tentative de meurtre et qu'il s'agit finalement d'un déséquilibré. »

« Penser qu'elle s'est trouvée seule avec ce type n'a rien de rassurant, convint-elle.

— J'ai dit à Maggie que si Ivy avait de nouveau le mal de mer au milieu de la nuit, elle devait m'appeler et éviter de partir seule à l'aventure, dit-il fermement. Je sais que vous êtes en train de faire contrôler la liste des passagers et de l'équipage. Si je peux vous être utile, n'hésitez pas à m'appeler. Sinon je vous verrai tout à l'heure. »

Il leur adressa un signe de la main, tourna les talons et s'éloigna le long de la coursive.

« À mon avis, il a le béguin pour Maggie Quirk, fit remarquer Regan.

— C'est certain. Ce n'était pas honnête de notre part de lui avoir caché que Maggie aurait pu se trouver nez à nez avec un assassin en puissance.

— Tu as raison », dit Regan.

Ils passaient devant un portrait de Louie Crochet du Gauche affiché au mur du couloir. Ils s'arrêtèrent pour l'examiner, pensant en même temps à la photo de Tony Pinto qu'ils avaient vue à la télévision.

« C'est possible », dit Jack d'une voix égale au bout d'un instant.

Regan comprit exactement ce qu'il voulait dire.

Quand ils arrivèrent à leur cabine, le téléphone sonnait. Regan courut décrocher. C'était Alvirah.

« Regan, je ne suis pas mécontente d'avoir dû rester dans ma chambre. J'ai deux choses à vous raconter. J'étais en train de regarder les informations, quand est apparue la photo d'un gangster qui s'est évanoui dans la nature et qui...

— Tony Pinto, dit Bille en Tête, l'interrompit Regan. Je sais ce que vous allez dire, Jack et moi avons eu la même idée. Nous avons plaisanté à ce sujet hier soir, mais il ne s'agit plus d'une plaisanterie désormais.

— C'est l'évidence même, dit Alvirah. Il essayait de quitter le pays. Il vit à Miami. Il a disparu le jour du départ de notre bateau, et deux personnes à bord prétendent avoir vu quelqu'un qui lui ressemble trait pour trait. Et pas sur le pont en train de prendre un bain de soleil. L'autre chose que je voulais vous dire, continua-t-elle sans attendre une éventuelle remarque de Regan, c'est qu'Éric, le neveu, vient de m'appeler avec une histoire à dormir debout à propos du jeu de cartes. Il appartiendrait à l'un des officiers du bord, et Éric proposait de venir les récupérer lui-même... Je lui ai dit que Willy serait heureux de remettre les cartes en mains propres à cet officier, mais figurez-vous que l'officier fantôme n'était pas de service à ce moment...

— Ne quittez pas, Alvirah. »

Regan raconta l'histoire du jeu de cartes à Jack qui prit le téléphone.

« Alvirah, je vais envoyer les photos de ces cartes au bureau, avant de vous les rendre. Si Éric est impliqué dans ce qui se mijote sur ce bateau, nous ne devons rien laisser transparaître devant lui. Je demanderai au bureau de vérifier soigneusement ses antécédents, tout comme ceux de Crater. »

Dès qu'ils eurent raccroché, Jack photographia le dos des hautes cartes avec son appareil numérique, les transmit à son bureau par mail, et rappela Keith. Pendant qu'il était au téléphone, Regan prit les cartes, alla dans la salle de bains, les approcha du miroir grossissant, et nota les numéros. « Avant de rendre ces cartes à Éric, se dit-elle, mieux vaut conserver une copie des informations qui y sont inscrites. »

Quand elle regagna la cabine, Jack venait de raccrocher. « Keith doit rappeler dès que possible.

— J'ai une idée, dit Regan. Allons faire un tour sur le bateau. Si Ivy, Maggie et Alvirah sont toutes les trois tombées par hasard sur des personnages louches, peut-être aurons-nous la même chance en gardant l'œil ouvert. De toute façon, j'aimerais bien prendre l'air.

— Excellente idée. Nous verrons ce qui se passe dehors. Le *Royal Mermaid* n'est pas si grand. Si Tony Pinto est à bord, il ne peut être loin. »

Le portable de Jack sonna. Il haussa les sourcils d'un air interrogateur puis répondit. L'appel provenait de la meilleure amie de Regan, Kit. « Bonjour, Kit, dit-il. Comment vas-tu ?

— Je cherche toujours avec qui passer le réveillon du nouvel an. Je suis allée à une soirée à Greenwich, hier soir, espérant trouver quelqu'un d'aussi esseulé que moi. Inutile de te dire que je n'ai trouvé personne. Mais j'ai appris quelque chose qui devrait vous intéresser tous les deux.

— Ne quitte pas, Kit. Je te passe ta copine. »

Regan prit le téléphone. « J'ai entendu ce que tu disais à Jack. En ce qui concerne le réveillon, ne regrette rien. C'est toujours rasoir, de toute façon.

— Je sais. Je vais quand même tourner ça dans ma tête pendant toute la semaine. Mais écoute plutôt ! Je suis allée à la soirée du lendemain de Noël chez mon amie Donna, à Greenwich. Tout le monde parlait de la même chose, de ce dénommé Highbridge, qui a escroqué une quantité de gens, y compris certains de ceux qui étaient là. Comme tu l'as sans doute appris, il est aujourd'hui en fuite. Tout le monde présume qu'il va essayer de se réfugier dans les Caraïbes. J'ai aussitôt pensé à toi. Et ce n'est pas tout ! Quelqu'un a raconté que l'ex-petite amie de Highbridge, Lindsay, prétendait qu'il lui avait téléphoné hier. Le numéro de son correspondant n'était pas affiché, mais une radio marchait plein pot à l'arrière-plan. Elle est sûre qu'elle a entendu quelqu'un annoncer la température qu'il faisait à Miami.

— Pas possible ! s'exclama Regan. Ils ont dû se séparer en mauvais termes pour qu'elle en parle à tout le monde.

— Elle est à Aspen, avec son nouveau fiancé. Elle était sortie en boîte quand elle a parlé de cet appel. Elle devait être un peu bourrée. La sœur d'une des filles qui étaient hier à la soirée se trouve en ce moment à Aspen. Son mari et elle étaient à portée de voix quand Lindsay s'est mise à jacasser à propos de Highbridge.

— Sait-on si Lindsay est allée raconter cette histoire à la police ?

— Non. Aujourd'hui, elle nie avoir jamais dit un mot sur Highbridge. Quoi qu'il en soit, j'ai pensé que cela t'intéresserait puisque tu es dans les Caraïbes et que vous êtes partis de Miami.

— Tu parles que cela m'intéresse, dit Regan. Est-ce que tu as jamais rencontré Highbridge à l'une des soirées de Donna ?

— Je l'ai rencontré une fois, il y a cinq ou six ans.

— Quelle impression t'a-t-il fait ?

— Grand, ennuyeux, imbu de lui-même. »
Regan rit.

« J'en déduis qu'il ne t'a pas demandé ton numéro de téléphone.

— Comment l'as-tu deviné ? Je pense que du moment que je n'avais pas d'argent sur lequel il puisse mettre la main, je ne l'intéressais pas. »

Après que Regan eut raccroché, Jack décida d'appeler à nouveau son bureau.

« Keith, dit-il à son second, c'est probablement un coup pour rien, mais regarde si tu peux trouver un lien quelconque entre Pinto Bille en Tête et Barron Highbridge. »

Il marqua une pause. « En dehors du fait qu'ils sont tous deux en fuite. »

45

Fredericka et Gwendolyn nageaient dans la piscine sous l'œil attentif de leur mère. « Un esprit sain dans un corps sain », leur serinait-elle, assise au bord du bassin, les pieds dans l'eau. Elle avait déjà écrit deux pages de son prochain bulletin de Noël. « Nous participons à la croisière inaugurale du *Royal Mermaid*, et tout le monde à bord ne parle que de la gentillesse de mes filles... »

Quand les fillettes eurent accompli le nombre de longueurs requis, elles commencèrent à jouer dans l'eau, éclaboussant au passage les gens qui prenaient le soleil dans des chaises longues autour de la piscine. « L'énergie de ces enfants vous réjouit le cœur », s'extasia Eldona en essuyant ses lunettes.

Les stewards, qui servaient les apéritifs sur le pont, avaient à peine annoncé qu'une cérémonie serait bientôt célébrée en hommage à la mère du Commodore que la nouvelle se répandit. Dès qu'elles en entendirent parler, Fredericka et Gwendolyn sortirent de la piscine.

« Maman, s'écria Fredericka tout essoufflée, as-tu entendu parler du service qui aura lieu au coucher du soleil ?

— Oui, chérie. Et vous pourrez y assister. Ce sera très beau.

— Peut-être pourrons-nous chanter aussi, comme nous le faisons à l'église. »

Les yeux d'Eldona brillaient de tendresse. « Quelle idée merveilleuse. Je suis certaine que le Commodore l'appréciera. Mais il faut vous en assurer. Allez vite enfiler une tenue correcte et courez le lui demander.

— Ouiiiiiiiii ! » Les deux fillettes applaudirent et partirent en sautillant. « Où est papa ? Où est papa ? Allons le dire à papa.

— Il est là, dans le coin », dit Eldona en désignant son mari étendu sur une chaise longue, le visage caché sous un magazine. « Il s'est mis à l'ombre. Vous savez combien il est soucieux de sa santé. Il sera heureux de vous savoir si attentionnées.

— J'ai une meilleure idée, maman. Faisons-lui la surprise.

— Comme vous voudrez, mes chéries. Dépêchez-vous maintenant. »

Le Commodore et Ivy Pickering en étaient à leur troisième tasse de thé. Le Commodore avait placé avec précaution la boîte contenant les cendres de sa mère sur la table basse. Après avoir déposé sur la table le plateau où étaient disposées la théière, la passoire, les tasses et les soucoupes, Winston avait fait mine de prendre la boîte. Le Commodore l'avait sévèrement réprimandé. « Je suis le seul autorisé à toucher cette boîte, Winston. Laissez-la à sa place. Maman appréciait toujours sa tasse de thé. »

« — Ma mère aussi a une prédilection pour le thé », dit Ivy, tout excitée de se trouver dans la cabine du Commodore.

Quand elle l'avait vu pour la première fois, il lui avait paru intimidant. Il était imposant, viril. Le genre d'homme que sa mère qualifiait de « grand type épatant ». Pourtant, à parler ainsi simplement avec lui, elle se rendait compte que c'était un tendre, au fond, et que, comme beaucoup d'autres, il voulait avant tout être aimé.

Tout en remplissant la tasse d'Ivy, le Commodore déclara : « Comme je vous l'ai dit dans la chapelle, vous m'avez réconcilié avec cette croisière. » Il rit. « J'ai eu trois femmes qui m'ont épousé pour ce qu'elles espéraient obtenir de moi. Pourtant, je suis resté en très bons termes avec la dernière, Reeney. »

Ivy sentit un pincement de jalousie.

« Mais nous avions trop de points de désaccord. Elle n'avait de cesse de courir les antiquaires. Elle s'imaginait avoir un don pour dénicher les bonnes affaires, et je peux vous assurer que ce n'était pas le cas. Mais le pire était qu'elle détestait faire du bateau...

— J'adore ça ! s'écria Ivy.

— Moi aussi. Mais elle m'a été utile dans bien des domaines, je dois l'avouer. C'était une formidable organisatrice. Elle m'a aidé à décorer la maison que j'ai achetée à Miami après notre divorce. C'est elle qui m'a recommandé Winston. Elle disait que je n'avais pas besoin d'une autre épouse, mais d'un maître d'hôtel. De quelqu'un qui prendrait soin de moi. »

Ivy serra les lèvres, retenant les mots qu'elle aurait voulu dire : « J'aimerais beaucoup prendre soin de vous ! »

« Vous dites que vous n'avez jamais été mariée, Ivy ? » s'étonna le Commodore, l'appelant sans s'en rendre compte par son prénom. « Une femme séduisante comme vous ? »

Ivy en rougit de plaisir. Elle aurait aimé que s'éternise ce moment en compagnie d'un homme aussi charmant. Elle murmurait un timide : « Ohhhh, merci », quand un coup violent frappé à la porte les fit sursauter.

« Qu'est-ce que c'est ? » demanda le Commodore en se levant pour aller ouvrir la porte.

Fredericka et Gwendolyn lui firent la révérence. « Bonjour, commodore Weed. » Sans y être invitées, elles pénétrèrent dans la cabine. « Bonjour, madame », dirent-elles à Ivy Pickering, avec une seconde courbette.

« Bonjour, mes petites », dit Ivy, estimant ces révérences assez ridicules étant donné l'arrivée intempestive des deux gamines.

« Oh, comme c'est joli ! » s'exclama Fredericka en tendant la main pour s'emparer du coffret en argent.

Ivy fut plus rapide qu'elle. Elle l'arrêta d'une main ferme. « Ce coffret appartient au Commodore », dit-elle.

Le Commodore avait pâli à la pensée que cette gosse infernale aurait pu bousculer les cendres de sa mère.

« Que puis-je faire pour vous, mes petites ? » demanda-t-il, s'efforçant de dissimuler ce qu'il ressentait.

« Nous avons entendu parler de la cérémonie qui va être célébrée pour votre maman, et nous aimerions y chanter un cantique spécial, expliqua Fredericka.

— Chez nous, nous faisons partie d'une chorale d'enfants », renchérit Gwendolyn.

« Que Dieu me vienne en aide », pensa le Commodore.

« Il y a une chanson que nous avons apprise à l'école et qui serait parfaite. Nous avons changé un seul mot. *"My Mommy lies over the ocean !* À la place de *my Bonnie lies over the ocean*[1] *!* Ma maman repose dans la mer..." »

Ivy les regardait, incrédule.

« Merci, dit le Commodore. Ce serait très gentil. Peut-être à la fin du service. Maintenant, allez répéter », ajouta-t-il d'une voix rauque.

« Youpi ! s'écrièrent-elles. Nous allons dire à tout le monde de venir ! »

Elles sortirent en courant.

Gwendolyn se tourna vers Fredericka. « Allons voir comment se porte l'oncle Harry. Nous lui parlerons de la cérémonie. Nous pourrons lui réserver une place et l'aider à monter sur le pont. Je suis sûre qu'il ne voudra pas rater ça. »

_____

1. Allusion à la célèbre chanson : « *My Bonnie lies over the ocean, bring back, bring back, oh bring back my bonnie to me.* » (*N.d.T.*)

46

Éric ne s'était absenté que quelques minutes de la chapelle, pour téléphoner à Alvirah Meehan et lui demander s'il pouvait venir chez elle récupérer les cartes. Il savait qu'il ne pouvait pas se permettre de laisser la chapelle sans surveillance, du moins jusqu'à l'heure du déjeuner, où il pourrait mener subrepticement Tony et Highbridge jusqu'à sa cabine dans la suite de son oncle. Une fois parvenus là, ils pourraient rester cachés en toute sécurité dans la penderie jusqu'à quatre heures le lendemain matin.

À ce point, le plan prévoyait qu'Éric conduirait les deux hommes jusqu'au pont extérieur le plus bas. Puis ils gonfleraient le canot pneumatique qu'Éric avait caché à bord, le jetteraient à l'eau et, vêtus de leurs brassières de sécurité, sauteraient à leur tour derrière le canot. Leurs complices tourneraient en hélicoptère dans les parages, prêts à les repêcher lorsque le *Royal Mermaid* se serait suffisamment éloigné. « Je ne voudrais pas être dans leurs souliers – de surcroît mouillés –, pensa Éric, mais ça vaut mieux que de passer une bonne partie de sa vie en prison. »

Assis au troisième rang, il eut tout le loisir d'imaginer ce qui arriverait si Bille en Tête et Highbridge étaient découverts. Highbridge avait la manie de se racler la gorge avec un « hum hum » qui se répercutait dans le silence de la chapelle. À la vérité, il ne l'avait fait qu'une fois. Éric s'était précipité dans l'allée pour le faire taire, mais Tony avait déjà plaqué sa main boudinée sur sa bouche, l'avertissant qu'il le tuerait s'il recommençait. Or Éric savait qu'il parlait sérieusement. Bille en Tête était un tueur.

Éric comptait les minutes jusqu'à midi, heure à laquelle il savait que son oncle descendrait déjeuner. À onze heures, un steward entra dans la chapelle pour épousseter et passer l'aspirateur.

« Ce n'est pas nécessaire, dit Éric.

— Mais j'ai reçu l'ordre de briquer à fond la chapelle. Des gens peuvent vouloir y venir avant la cérémonie qui sera célébrée pour votre grand-mère.

— Attendez cet après-midi pour nettoyer. Et apportez des fleurs fraîches pour l'autel.

— Naturellement. »

Éric sentit des gouttes de transpiration perler sur son front. Le steward aurait immanquablement soulevé le drap de l'autel pour passer l'aspirateur. Il n'osait penser à la réaction de Bille en Tête.

À midi et quart le Commodore ouvrit la porte de la chapelle et s'immobilisa sur le seuil. « Quelle surprise de te voir ici, dit-il.

— Je me suis arrêté quelques instants pour dire une prière à l'intention de grand-mère. Elle occupe tellement mes pensées aujourd'hui.

— Nous partageons les mêmes sentiments ! Mais viens, maintenant. Je voudrais que tu sois à ma table

238

au déjeuner. Ivy, je veux dire Mlle Pickering, nous rejoindra également. Une femme tout à fait charmante en vérité. »

Éric comprit l'avertissement. Il devait se garder d'ignorer Ivy à nouveau. « Je te demande seulement quelques instants, le temps de me laver les mains », dit-il. Il accompagna le Commodore jusqu'aux ascenseurs, pressa le bouton « descente » et attendit de voir disparaître le dos de son oncle avant de se précipiter le long du couloir. Comme il l'avait craint, il se trouva nez à nez avec Winston qui se rendait à sa cabine. Il avait droit à une pause pour déjeuner.

« Puis-je vous apporter quelque chose avant de quitter mon service ?

— Non, merci, je vais descendre à la salle à manger dans quelques minutes. »

Éric ouvrit la porte de la suite de son oncle et demeura un instant à l'intérieur, s'assurant que Winston était bien parti. Puis il regagna rapidement la chapelle. « Venez. Je vais me poster devant la porte des Meehan. S'ils sortent, je me débrouillerai pour distraire leur attention. Filez en vitesse jusqu'à la suite – sans faire de bruit si possible. La porte est ouverte. »

Ces précautions n'étaient pas nécessaires. Les deux malfaiteurs pénétrèrent dans la suite sans être remarqués. Éric les y suivit. « Nous ne pouvons prendre aucun risque. Ramassez tout ce que vous trouverez à boire et à manger dans le réfrigérateur. Puis enfermez-vous dans la penderie et n'en bougez pas. Je reviendrai le plus tôt possible.

— N'oubliez pas mes cartes », l'avertit Bille en Tête.

Éric s'aspergea le visage et se donna un coup de peigne. Cette fois, il sortit dans le couloir au moment où Alvirah et Willy quittaient leur cabine.

« Bonjour, leur lança-t-il. Vous ne voyez pas d'inconvénient à ce que je récupère les cartes avant que vous fermiez votre porte ? »

Alvirah admira l'esprit de repartie dont fit preuve Willy : « Éric, cela vous ennuierait-il d'attendre cet après-midi ? J'ai commencé une réussite et figurez-vous que je suis en train de gagner », plaisanta-t-il.

Éric se força à rire. « Mais bien sûr. Cet après-midi, ce sera parfait. »

C'était faux. Il n'avait pas du tout envie d'attendre. Il y avait quelque chose de louche là-dessous, il le sentait. Les Meehan savaient qu'il voulait récupérer les cartes, alors pourquoi Willy s'était-il lancé dans une autre de ses stupides réussites ?

Il ne croyait pas à cette histoire, mais il était piégé. Il ne pouvait rien faire.

Le souvenir d'Alvirah disant qu'elle était un bon détective amateur le rongea pendant qu'ils descendaient ensemble en ascenseur.

47

Assis dans le fauteuil inclinable de sa cabine, Harry Crater était à bout de nerfs. Les ecchymoses de son cou avaient viré au violet et s'élargissaient peu à peu, semblables à des taches de vin. Le cauchemar qu'il avait vécu se répétait dans son esprit. « Je vais rester dans ma cabine et m'y faire apporter mes repas, décida-t-il. Il me suffit de tenir jusqu'au lever du jour. Personne ne pourra entrer ici tant que la porte sera fermée à double tour. »

Il avait avalé avec appétit les œufs brouillés au bacon qu'il avait commandés. La vue de l'assiette vide lui rappela qu'il avait de la chance d'être encore en vie ce matin. Il avait peur de Bille en Tête, mais une autre chose le tourmentait. Il était sûr que le patron avait placé quelqu'un d'autre à bord. Qui ? Et que ferait cette personne à l'arrivée de l'hélicoptère ?

Il souleva la cafetière, espérant qu'il restait de quoi remplir un fond de tasse. Des coups répétés à la porte le firent sursauter, sa main tressaillit et les dernières gouttes de café se répandirent sur le plateau.

« Oncle Harry !

— Je suis couché, allez-vous-en.

— Nous avons une invitation pour vous.

— Une invitation pour quoi ? demanda-t-il d'une voix forte.

— Nous allons chanter pendant la cérémonie, quand le Commodore jettera les cendres de sa mère dans l'océan. »

Harry pâlit. Il se leva et se hâta d'ouvrir la porte.

Gwendolyn et Fredericka lui adressèrent un large sourire. « Nous sommes allées voir le Commodore », dirent-elles, bafouillant dans leur hâte d'annoncer l'importante nouvelle. « Il faut que vous veniez ce soir. Il le faut. Nous allons chanter. Nous viendrons vous chercher. Nous aurons une chaise pour vous.

— Il répand les cendres de sa mère ce soir ? Je croyais qu'il devait les jeter à la mer au lever du soleil. Demain matin.

— Ce soir ! affirma Fredericka. C'est ce soir.

— Je serai là. »

Il cracha littéralement ses mots, referma la porte et se précipita sur son téléphone portable. Quand la communication fut établie, il parla d'un ton brusque : « Nous devons changer nos plans. Vous maintenez le contact avec nous, je présume. À quelle distance vous trouvez-vous maintenant ?

— Nous sommes sur Shark Island, lui répondit-on. À deux heures de vol. Nous avons suffisamment de carburant pour nous permettre de revenir s'il faut décoller maintenant.

— Allez-y ! Le Commodore a modifié l'heure de la cérémonie. Elle aura lieu au coucher du soleil. Je savais bien qu'on ne pouvait pas compter sur lui pour attendre la date de l'anniversaire de sa mère. Nous ne pouvons courir le risque qu'il change d'avis encore une fois. Dès que vous aurez débarqué ici, j'annoncerai que je n'ai pas l'intention de partir avant la fin du service. »

Il ajouta d'un ton sarcastique : « Le Commodore sera tellement touché. Vous autres, les trois "infirmiers", vous vous posterez autour de moi. » Il écouta. « Ne me dites pas à *moi* d'être détendu. Quelqu'un a tenté de me tuer la nuit dernière. Et je suis pratiquement sûr de savoir qui c'est. »

Il raccrocha brutalement.

48

Le séminaire des Écrivains et Lecteurs de l'Oklahoma battait son plein depuis neuf heures du matin. Des groupes étaient engagés dans des discussions passionnées sur l'art d'écrire des romans à suspense, se référant à Conan Doyle et Agatha Christie.

À onze heures et demie, Bosley P. Brevers, l'auteur d'une biographie exhaustive de Louie Crochet du Gauche, devait intervenir sur son sujet favori, et projeter des diapositives illustrant la vie de Louie dans le petit auditorium voisin de la salle à manger.

Regan et Jack avaient retrouvé Nora et Luke sur le pont et décidé d'un commun accord d'assister à la conférence. Regan avait confié à ses parents qu'ils soupçonnaient Tony Pinto de s'être embarqué clandestinement à bord du bateau.

Dans l'assistance ils aperçurent Ivy Pickering et Maggie Quirk, assises un peu à gauche dans le rang derrière eux. Regan haussa les sourcils. Ivy, qui d'habitude se souciait comme d'une guigne de son apparence, était aujourd'hui parfaitement maquillée et vêtue d'une veste de lin bleu qui mettait en valeur ses yeux azur. Quelle différence avec sa tenue de la veille, quand elle était arrivée en hurlant dans la salle à manger !

Sur le podium, on faisait la présentation de Brevers. Le directeur du séminaire salua les recherches qu'il avait menées pendant cinq ans pour écrire son livre et nota qu'il avait également été principal d'un lycée réputé pendant cette période. Brevers, soixante-cinq ans, petit, frêle, le cheveu blanc, s'approcha du pupitre. Il fit les habituelles déclarations, se dit honoré de parler devant une telle assistance et très excité de participer à la Croisière de Noël, d'autant plus qu'on laissait entendre que le fantôme de Louie Crochet du Gauche se trouvait peut-être à bord. Il attendit un éclat de rire qui ne vint pas.

« Eh bien, continua-t-il en toussant légèrement. Commençons par le commencement. » Il s'éclaircit la voix : « Louie est né à Hell's Kitchen, l'un des quartiers pauvres de Manhattan. » Il montra la photo d'un enfant de deux ans assis sur le perron d'un immeuble modeste en compagnie de sa mère.

« Le conte de fées habituel, glissa Luke à l'oreille de Nora. C'est parti. »

Nora lui adressa une grimace.

Les dix premières minutes de la conférence furent consacrées à une série de photos où l'on voyait Louie Crochet du Gauche s'efforçant de gagner un peu d'argent en faisant des petits boulots dès l'âge de huit ans. Sur une photo, sa sœur Maria et lui avaient monté un commerce de cireurs de chaussures au coin de la Dixième Avenue et de la 43e Rue à New York. Maria brandissait fièrement un panneau sur lequel était inscrit : CINQ CENTS LA CHAUSSURE. ELLE BRILLERA COMME NEUF.

Luke murmura : « Un entrepreneur en herbe. La plupart des gens ont deux chaussures. »

D'autres diapos suivirent. « Voici Louie à douze ans, en train de livrer un énorme bloc de glace. Il devait le monter au cinquième étage, mais jamais une plainte, dit Brevers. Le brave gosse ignorait qu'il développait les muscles qui feraient de lui un champion de boxe. Pendant que d'autres, y compris son copain d'enfance, Charley-Boy Pinto, se tournaient vers une existence criminelle... »

Avec un bel ensemble Regan et Jack se penchèrent en avant. « Pinto ?

— Louie fut très déçu quand sa sœur bien-aimée, Maria, épousa Pinto à dix-huit ans. Ni lui ni ses parents ne lui adressèrent plus jamais la parole. Charley-Boy passa les quinze dernières années de sa vie dans une prison fédérale. Mais auparavant, il avait eu le temps d'apprendre à son fils tout ce qu'il fallait savoir sur ses "activités". Ce fils, Anthony, devint le gangster bien connu, Pinto Bille en Tête, un individu dangereux dont vous avez probablement entendu parler récemment. Bien qu'il n'ait sans doute jamais rencontré son oncle, le champion de boxe devenu un écrivain célèbre, il lui ressemble étonnamment, comme vous allez le constater. »

Les photos des deux hommes apparurent côte à côte sur l'écran.

Regan entendit deux exclamations de surprise derrière elle. Elle se retourna pour voir Maggie et Ivy se lever et se diriger vers la porte.

Les quatre Reilly les suivirent.

Ivy tremblait et le visage de Maggie était blême.

« Il y a un petit salon plus loin, dit Nora, allons-y.

— Je n'ai pas envie de semer le trouble, dit Ivy. Ce serait terrible pour le Commodore. Je savais que l'individu que j'ai vu ressemblait à Louie Crochet du Gauche. Mais devant leurs deux photos, je peux voir la différence. Tony Pinto est *sans le moindre doute* l'homme que j'ai vu dans la chapelle. C'est un gangster ? Qu'est ce qu'il peut bien comploter à présent ?

— Il s'est enfui de son domicile à Miami pour éviter de comparaître à son procès », expliqua Regan.

Ivy sentit ses genoux céder sous elle et s'accrocha à la main de Maggie. « Tu l'as vu toi aussi ?

— Je pense que c'était lui », répondit calmement Maggie. Elle regarda Regan et Jack. « Que comptez-vous faire ?

— Si la nouvelle se répand, elle risque de déclencher la panique. Nous ne sommes pas sûrs à cent pour cent que Pinto soit à bord, et si c'est le cas nous ignorons si notre passager clandestin est armé. Pour la sécurité de chacun sur ce bateau, rien de cela ne doit transpirer, dit Jack d'un ton ferme.

— Pourquoi serait-il monté sur ce bateau ? demanda Ivy.

— Parce que s'il arrive jusqu'à Fishbowl Island, il ne pourra plus être renvoyé aux États-Unis pour y être jugé, lui expliqua Regan.

— Dans ce cas, nous ferions mieux de faire demi-tour et de regagner Miami ! s'écria Ivy.

— On pourrait prétexter que le bateau a besoin de réparations, suggéra Nora.

— Les gens s'affoleront, ils craindront de le voir couler ! protesta Ivy.

— Pas si on annonce qu'il s'agit de simples avaries de machine, expliqua Nora. La moitié des grands navires ont connu des incidents mineurs durant leurs croisières inaugurales. Les gens comprendront.

— Le seul problème, dit Luke, c'est que si Tony Pinto est vraiment à bord et compte arriver jusqu'à Fisherbowl Island, qui sait quelle sera sa réaction en apprenant que le bateau fait demi-tour ? »

La question resta sans réponse.

« Voilà Dudley », dit soudain Regan en se précipitant vers lui. « Dudley, il faut que nous vous parlions. Où est le Commodore ?

— Le Commodore est à l'entrée de la salle à manger, il invite les passagers à assister à la cérémonie qui aura lieu au coucher du soleil.

— Allez le chercher. »

Dudley savait qu'il était inutile de demander pourquoi. « Tout de suite, Regan. » Quelques minutes plus tard, il entrait dans le salon, suivi du Commodore, de Willy et d'Alvirah.

Regan ne fut pas surprise de voir Alvirah. Fin limier, elle était toujours là où il se passait quelque chose de suspect.

Le visage du Commodore s'éclaira à la vue d'Ivy, une expression qui ne dura que quelques secondes avant qu'elle ne s'écrie : « C'est terrible, Randolph, mais l'homme que j'ai vu l'autre soir est un criminel, et il est à bord de ce bateau !

— Qu'est-ce que vous dites ? » s'écria le Commodore, en pâlissant.

Regan ferma la porte du salon et mit chacun au courant de la situation.

« Nous ne survivrons jamais à pareil scandale ! dit le Commodore. Mais la sécurité des passagers avant tout. Que me conseillez-vous ?

— Il faut retourner à Miami, débarquer les invités, et ensuite la police pourra fouiller le bateau sans risque, répondit Jack.

— Qu'allons-nous leur dire ? lui demanda le Commodore.

— Que nous avons une avarie mineure, que nous retournons à Miami pour effectuer le remplacement d'une pièce, et que nous resterons à croiser devant Miami jusqu'à jeudi.

— Nous pourrions leur offrir une autre croisière gratuite, proposa Dudley précipitamment.

— Tenez votre langue », le rembarra le Commodore. « C'est vous, avec votre idée de croisière gratuite, qui m'avez mis dans ce pétrin. À partir de maintenant, gardez vos suggestions pour vous ! »

Dudley se décomposa. « J'avais juste pensé..., commença-t-il. J'essayais seulement de me rendre utile... » Il regrettait le moment où tomber de la paroi d'escalade lui avait paru la pire chose qui pouvait lui arriver sur ce bateau. Il se demanda si d'autres organisateurs de croisières l'engageraient après le nouvel an.

« Dudley, appelez le capitaine Smith, ordonna le Commodore. Je sais qu'il est déjà dans la salle à manger. »

Dudley repartit comme une flèche. Moins d'une minute plus tard, il revenait avec le capitaine Smith, dont l'expression resta impénétrable en entendant l'histoire de l'éventuel passager clandestin.

« Je me souviens que lors du voyage inaugural d'un de mes bateaux, nous nous sommes retrouvés en

249

panne de machine pendant une tempête particulièrement violente et que nous avons été battus sans
merci par les vagues durant deux jours...

— Oui, oui », l'interrompit impatiemment le
Commodore.

Dudley savait que seul le capitaine pouvait se montrer l'égal du Commodore lorsqu'il relatait jusqu'au
moindre détail des événements qui s'étaient déroulés
des années auparavant.

« Nous pourrions donc simuler une panne de
machine momentanée, continua le capitaine. Je
retourne dès maintenant à la passerelle, afin de
commencer à réduire la vitesse du bateau. Puis, vers
la fin du déjeuner, j'arrêterai complètement les
moteurs. Je me rendrai alors à la salle à manger pour
vous mettre ostensiblement au courant, Commodore, de ce qui arrive. »

Le Commodore resta songeur un instant. « À ce
moment, j'exposerai la situation aux passagers, dit-il
enfin. J'annoncerai également que, vu les circonstances, la cérémonie consacrée à ma chère maman
commencera à deux heures et demie.

— Je croyais que vous vouliez la célébrer au coucher du soleil ? l'interrompit Dudley.

— Plus maintenant ! Si nous devons rebrousser
chemin, nous sommes ici à l'endroit le plus proche
de celui où j'avais prévu de laisser maman. »

Avec un bref signe de tête, mais sans ajouter un
mot, le capitaine Smith les quitta.

Alvirah réfléchissait. Devaient-ils avertir le
Commodore de ne rien dire à Éric concernant Tony
Pinto ? Mais quelle raison lui donner ? Fallait-il lui
rapporter que son neveu cherchait un jeu de cartes

suspect et pouvait avoir certains contacts avec le malfaiteur ? Qu'on avait trouvé de mystérieuses miettes de chips sur le tapis de sa chambre ? « Nous ne pouvons pas lui raconter ça, décida-t-elle. Si Éric est coupable, son oncle le découvrira bien assez vite. »

Le Commodore redressa les épaules. « Le déjeuner va être servi à nos invités. Il faut que j'aille les retrouver. Ivy, vous avez une place à ma table. » Prenant son bras, il la guida vers la porte.

Les autres les regardèrent partir.

« Voilà un bonhomme qui a de la classe, fit remarquer Luke.

— C'est peut-être la fin de son bateau de croisière, dit Dudley tristement. Il est acculé sur le plan financier. »

Nora soupira. « Bon, nous ferions mieux d'y aller nous aussi. » Elle se tourna vers Maggie. « Pourquoi ne pas venir vous asseoir avec nous ? » Avec un sourire amusé, elle ajouta : « Après tout, vous êtes notre coconspiratrice.

— Merci, mais Ted a prévu de me rejoindre à ma table.

— Jack et moi nous revenons tout de suite », dit Regan au moment où ils se dirigeaient tous vers la porte.

« Je dois téléphoner au bureau pour les mettre au courant de tout ça. »

La voix de Jack était tendue.

« Rapportez-nous les cartes, dit Alvirah. Éric ne cesse de nous harceler pour les récupérer.

— Vous les aurez », répondit Regan.

Regan et Jack se dirigèrent vers les ascenseurs. Les autres pénétrèrent dans la salle à manger. Un quart d'heure plus tard, Regan et Jack les rejoignirent à table.

« Alors ? » demanda Alvirah sans leur laisser le temps de s'asseoir.

« Nous venons d'apprendre, répondit Regan à voix basse, qu'il existe un lien étroit entre Pinto Bille en Tête et Barron Highbridge, l'élégant aigrefin de Greenwich à l'origine d'une énorme escroquerie et qui était sur le point d'être condamné. Highbridge a disparu la semaine dernière et son ex-petite amie est certaine de l'avoir entendu l'appeler de Miami. Son factotum est un cousin de Bingo Mullens, l'homme qui, d'après la police, aurait organisé la fuite de Bille en Tête.

— À quoi ressemble Highbridge ? demanda Alvirah.

— Très grand et mince, répondit Regan.

— Comme le Père Noël à un seul grelot qui m'a laissée en plan sur le pont ! » s'écria Alvirah.

Jack sortit les cartes de sa poche et les leur tendit. « Vous pouvez les rendre à Éric, dit-il. Mon bureau est pratiquement sûr que ces chiffres sont des numéros de comptes en banque suisses. Ils font des recherches, nous serons bientôt éclairés.

— C'est sans importance », dit Alvirah d'un ton sans réplique. « La seule question est : que faisaient ces cartes dans la chambre d'Éric ? »

49

Éric n'en revenait pas. Le *Royal Mermaid* était à l'arrêt et s'apprêtait à regagner le port. « Je suis un homme mort », se dit-il avec désespoir. « Si je ne parviens pas à faire débarquer ces deux-là, et s'ils se font pincer à notre arrivée à Miami, Tony n'hésitera pas à me faire supprimer. Même si je suis en prison, il trouvera un moyen... » Il s'en voulait de s'être montré aussi stupide. « Si je m'étais contenté d'aider l'oncle Randolph à mener à bien ses projets, j'aurais pu avoir une belle vie, pensa-t-il. Je suis son seul héritier. L'argent coule à flots sur les bateaux de croisière, et on y rencontre une quantité de filles célibataires – j'aurais pu tout avoir. Quoi qu'il en soit, je dois aider Highbridge et Pinto à disparaître. »

Il regagna au pas de course la suite de son oncle et, sur le point d'entrer dans sa cabine, chercha ce qu'il allait pouvoir dire aux deux fuyards planqués dans sa penderie. Il entendit alors la porte du couloir s'ouvrir et s'aperçut que le Commodore l'avait suivi.

Éric se tourna vers lui. « Oncle Randolph, je suis sincèrement désolé que nous soyons forcés de retourner à Miami. Je sais que c'est un crève-cœur pour toi, qui s'ajoute à la publicité désastreuse à laquelle nous avons eu droit. »

Le Commodore s'assit lourdement sur le canapé et enfouit sa tête entre ses mains. « Mon garçon, dit-il. C'est pire. *Bien* pire. »

Qu'est-ce qui pouvait être pire ? se demanda Éric, sentant une sueur d'effroi envahir tout son corps. « Que se passe-t-il ? articula-t-il d'une voix étranglée.

— Nous sommes à peu près certains d'avoir un passager clandestin à bord, un gangster – le dénommé Tony Pinto, dit Bille en Tête.

— Qu... Quoi ? s'exclama Éric.

— Nous n'avons pas de panne de machine, en réalité. Nous avons pris ce prétexte pour éviter un mouvement de panique parmi les passagers. Comme tu dois le savoir, Jack Reilly est le chef de la Brigade spéciale de la police de New York. Nous suivons ses conseils. Nous allons regagner Miami et la police fouillera ce bateau de fond en comble. Attends un peu que je découvre où il se cache et qui l'a caché. » La voix du Commodore monta d'un cran. « Qu'on me laisse deux minutes avec ce salaud dans une pièce ! Je lui réduirai la tête en bouillie ! »

Éric fit une grimace. « Bille en Tête et Highbridge nous écoutent en ce moment, pensa-t-il. Au moins je n'aurai pas à leur annoncer la nouvelle. » Il se rappela une des expressions favorites de sa grand-mère : « À quelque chose malheur est bon. » Son regard tomba sur la vitrine où les cendres de sa grand-mère reposaient dans le coffret en argent. « Tu ne m'as jamais aimé, songea-t-il. C'est pourquoi je suis devenu ce que je suis. »

Le Commodore se leva. « La cérémonie va bientôt commencer, dit-il. Elle sera courte et paisible, puis le capitaine mettra les moteurs en route et nous reviendrons au port. Je vais passer ces dernières précieuses minutes avec ta grand-mère dans la chapelle. »

Dès que son oncle fut parti, Éric entra dans sa cabine et ferma la porte. Les paumes de ses mains étaient tellement moites qu'il eut du mal à ouvrir la porte du placard. Il s'arma de courage et tourna la poignée.

« Je devrais vous liquider sans tarder, mais nous avons encore besoin de vous, dit Bille en Tête d'une voix glaciale.

— Il faut que nous débarquions pendant que le bateau est arrêté, dit Highbridge. Passez-moi votre portable. Donnez-moi les coordonnées exactes, la latitude et la longitude. Nous allons prévenir nos hommes et leur dire de venir nous chercher dans votre canot pneumatique. Ils sauront estimer de combien nous avons dérivé. »

Bille en Tête fouilla dans la poche de son costume de Père Noël et en sortit le pistolet de Crater. « Nous emportons aussi le fric que nous vous avons refilé. » Éric leva les yeux vers l'étagère et constata que sa valise avait été forcée.

« Nous cherchions vos vêtements, expliqua Tony. Dommage que vous n'ayez pas été assez malin pour mettre en banque l'acompte que nous vous avons versé. Vous pouvez faire une croix dessus désormais. On aurait mieux fait de partir à la nage plutôt que de suivre vos plans pourris. Et je ne m'en irai pas sans mon jeu de cartes », ajouta-t-il sèchement.

255

Éric courut jusqu'au bureau de son oncle et chercha la position du bateau. Il revint en courant et transmit les indications à Highbridge. « Pendant que vous passez votre appel, je vais chercher les cartes », promit-il, désespéré. Il referma les portes de la penderie et de sa chambre, traversa à la hâte la suite et sortit dans le couloir. Avant d'aller frapper à la porte des Meehan, il jeta un coup d'œil prudent vers les ascenseurs. Alvirah et Willy sortaient justement de l'un d'eux. Il les attendit et, à son grand soulagement, n'eut même pas besoin de leur demander les cartes.

« Oh, Éric, dit Alvirah, nous avons les cartes de votre ami. »

Willy ajouta : « Dites à votre copain que s'il organise une partie, j'adorerais me joindre à lui. »

Les mains d'Éric étaient humides de transpiration quand il les referma sur les cartes de Bille en Tête. « Certainement, certainement, je le lui dirai. Merci. » Ses yeux se fixèrent sur les taches de chocolat qui couvraient le devant de la chemise de Willy.

Willy rit. « Ne croyez pas que je mange comme un cochon. Le serveur était généreux, mais il a mal visé quand il a versé le chocolat chaud sur ma coupe de glace. Je vais me changer.

— Ce n'est pas de chance », dit Éric, serrant si fort les cartes qu'elles lui entamèrent la paume.

« À tout à l'heure à la cérémonie en l'honneur de votre grand-mère », dit Alvirah tandis qu'ils s'éloignaient le long de la coursive.

Éric attendit que les Meehan aient disparu dans leur cabine. « Il me faut trente secondes pour amener Bille en Tête et Highbridge jusqu'à l'escalier de l'équipage », réfléchit-il. Il menait directement en bas, à l'arrière du bateau, où il avait caché le canot pneumatique. Utiliser cet escalier en ce moment était risqué, mais même s'ils croisaient un membre de l'équipage, ce dernier aurait autre chose à faire qu'à interroger Éric ou les personnes qui se trouvaient avec lui. Il craignait davantage de rencontrer Winston – il passait tout le temps par là pour descendre à sa cabine et il avait une façon surprenante de surgir de nulle part.

Éric devait amener Tony et Highbridge jusqu'à la partie ouverte du pont inférieur à l'arrière où étaient stockés les filets, gaffes et tout l'équipement insubmersible du bateau. Il n'y avait là ni armoire ni placard fermé, raison pour laquelle il n'avait même pas envisagé d'y cacher les deux hommes. Mais le pont se trouvait sous un surplomb, ce qui signifiait que personne depuis les ponts supérieurs ne pouvait voir ce qui s'y passait. Le risque était de se faire repérer au moment où ils jetteraient le canot par-dessus bord en plein jour. Une fois dans leur embarcation, les deux hommes pourraient se cacher sous la bâche fournie par Éric. Si quelqu'un apercevait le canot, il supposerait qu'il était vide. Mais on pouvait espérer que tout le monde serait à la cérémonie en l'honneur de sa grand-mère.

Éric regagna la suite de son oncle, alla dans sa cabine et ouvrit la porte de la penderie. Il tendit ses cartes à Bille en Tête. « Allons-y », dit-il sèchement, notant que ce dernier avait à la main la serviette qu'il avait probablement volée et que Highbridge portait le sac marin d'Éric dans lequel ils avaient visiblement transféré son argent et leurs vêtements.

« On vient », répondit Tony tout aussi sèchement.

Par la grâce de Dieu, ils parvinrent jusqu'à l'escalier de l'équipage sans rencontrer personne. Ce qu'ils ignoraient, c'était qu'Alvirah avait l'oreille collée à la porte à peine entrebâillée de sa cabine. Quand elle entendit celle du Commodore se refermer, elle jeta un coup d'œil, juste à temps pour voir Éric et les deux Pères Noël disparaître par une porte ne comportant aucune indication à l'autre extrémité du couloir. Elle avait vu Winston passer par là, cette porte devait être uniquement réservée à l'équipage.

« Seigneur Dieu ! pensa-t-elle. C'est certainement Bille en Tête et le Père Noël que je poursuivais. Éric est de mèche avec eux ! Je n'ai pas une minute à perdre. Willy est sous la douche, mais si je prends le temps de lui expliquer ce qui se trame, il sera trop tard et je perdrai leur trace ». Elle se précipita dans le couloir aussi vite que ses genoux arthritiques le lui permettaient, ouvrit sans faire de bruit la porte qu'ils venaient de franchir, et entendit l'écho de leurs pas dans le lointain, se répercutant plusieurs ponts en dessous. Elle s'agrippa à la rampe et se dépêcha de les suivre.

Quand elle atteignit le pont inférieur, elle aperçut une porte métallique sur sa gauche. Elle l'entrouvrit. Il y avait un canot pneumatique que l'on était en train de gonfler, et deux hommes qui attachaient des gilets de sauvetage par-dessus leurs costumes de Père Noël.

« Il faut que j'aille chercher de l'aide », pensa-t-elle. Elle tourna les talons et commença à monter l'escalier, mais elle n'avait pas gravi six marches que la porte s'ouvrit en grand derrière elle. Elle eut beau s'efforcer d'aller plus vite, il lui fut impossible de s'échapper. Elle sentit une main puissante se plaquer sur sa bouche, un bras vigoureux la tirer en arrière et entendit la voix d'Éric ricaner : « Vous n'êtes pas aussi bon détective amateur qu'on le dit, madame Meehan. »

50

Crater avait été pris de panique lorsque Fredericka et Gwendolyn lui avaient annoncé que l'heure de la cérémonie avait à nouveau changé. Il avait envoyé un appel urgent à ses hommes. « Pas question d'avoir le moindre retard !

— Ne vous en faites pas. Nous sommes presque arrivés », lui répondit-on.

Crater avait ensuite prévenu le Dr Gephardt par téléphone qu'il avait fait demander son hélicoptère. « Avec cette panne de machine, je ne me sens pas rassuré et, par-dessus le marché, je m'attends à avoir une grosse crise d'asthme. J'ai de plus en plus de mal à respirer. Je connais bien ces symptômes. Je veux rentrer chez moi, où je disposerai des soins médicaux appropriés. »

« Quel tissu de balivernes », avait pensé le Dr Gephardt, assis à son bureau, tournant un crayon dans sa main tout en écoutant.

« Cependant, j'attends avec impatience la cérémonie en l'honneur de la mère du Commodore. Ces adorables gamines, qui ont été si gentilles avec moi, doivent chanter, d'après ce que je sais.

— C'est ce que j'ai entendu dire », répondit le médecin, songeant combien il serait soulagé lorsque Crater aurait débarrassé le plancher. Celui qui avait essayé de l'étouffer pourrait faire une autre tentative. « Voilà qui peut intéresser Jack Reilly », se dit Gephardt en raccrochant. Il composa le numéro de la cabine des Reilly, mais n'obtint pas de réponse.

Sur le pont supérieur, à l'avant du bateau, les passagers s'étaient déjà massés en vue de la cérémonie. Les membres d'équipage avaient placé des rangées de chaises pliantes de part et d'autre d'une allée improvisée le long de laquelle le Commodore, Éric et la garde d'honneur des Pères Noël devaient s'avancer. Une petite table provenant de la suite du Commodore avait été placée face à la foule, avec un bouquet de fleurs et un micro. On avait également installé des haut-parleurs qui diffuseraient le cantique *Amazing Grace*.

Le soleil brillait, la mer était calme, les seuls mouvements du *Royal Mermaid* étaient causés par de petites vagues qui ondoyaient doucement le long de la coque.

Dans le lointain, le bruit d'un hélicoptère attira l'attention générale. Un vrombissement envahit le bateau et, en un instant, les gens accoururent sur le pont. Dudley arriva en courant et s'empara du micro. « Pas de panique ! commença-t-il. Notre ami M. Crater – il désigna d'un signe de tête Crater assis dans un fauteuil roulant à l'extrémité du premier rang, près du bastingage – doit rentrer chez lui pour consulter son médecin.

— Plus fort, cria quelqu'un. On ne vous entend pas ! »

Dudley porta ses doigts à ses lèvres et désigna l'hélicoptère. Tout le monde le regarda se poser lentement sur l'aire d'atterrissage – moteur grondant et rotor tournoyant non loin de l'endroit où la cérémonie devait avoir lieu.

Fredericka et Gwendolyn, qui se tenaient de part et d'autre du fauteuil roulant, couvrirent les oreilles de Crater de leurs mains. Les sièges encore vides au premier rang, sur la gauche, étaient réservés au Commodore, à Éric, Dudley et Winston. À droite ils étaient attribués aux Pères Noël.

Le rugissement du moteur de l'appareil cessa brusquement et le rotor ralentit avant de s'immobiliser. Dudley répéta alors d'une voix posée ce qu'il avait expliqué précédemment et ajouta : « Nous allons commencer notre affectueux hommage à Mme Penelope Weed dans quelques instants. Veuillez vous installer à vos places. »

Les quatre Reilly, Ivy et Maggie étaient assis au second rang. Deux places étaient réservées pour Alvirah et Willy, mais ce dernier arriva seul. Son visage s'assombrit quand il s'aperçut qu'Alvirah n'était pas parmi eux.

« Où est Alvirah ? demanda-t-il d'un air inquiet.

— Nous ne l'avons pas vue, répondit Nora.

— Elle avait quitté la cabine lorsque je suis sorti de la douche. Je me suis étonné, mais j'ai pensé qu'elle était venue directement ici.

— Oh, je suis certaine qu'elle ne va pas tarder », le rassura Nora.

262

Tous les yeux étaient fixés sur l'hélicoptère d'où sautaient trois hommes en blouses blanches. Dudley se précipita à leur rencontre.

« Ça ne me dit rien qui vaille », murmura Regan à Jack.

Plissant les yeux, Jack regarda attentivement les trois infirmiers suivre Dudley jusqu'au fauteuil de Crater, se pencher et avoir un bref entretien avec lui. Il remarqua que l'un des infirmiers levait la tête et que son regard croisait celui de Winston. « Ils se connaissent, pensa-t-il. Quelque chose se trame, mais quoi ? »

Les premières notes d'*Amazing Grace* jaillirent des haut-parleurs, faisant sursauter l'assistance.

La procession arrivait de la chapelle. Les deux Pères Noël qui n'avaient pas de costume en tête, chacun tenant un grand cierge allumé. Les huit autres suivirent dans l'allée, puis Éric, et enfin le Commodore portant le coffret en argent qui contenait les cendres de sa mère.

Regan observa Éric tandis que le cortège chantait : « Qui a sauvé le malheureux que je suis... »

Willy s'était assis à sa place, visiblement nerveux.

Le Commodore plaça le coffret en argent sur la table, entre deux cierges, et les membres de la procession prirent place au premier rang.

Un homme d'un certain âge, raide comme un piquet, membre du groupe des Écrivains et Lecteurs de l'Oklahoma et diacre de sa paroisse, s'avança. Il s'empara du micro. « Dieu miséricordieux, la vie n'a pas pris fin, mais changé... », commença-t-il.

Willy se retourna vers les derniers rangs de chaises, cherchant désespérément la présence d'Alvirah. Il était sûr qu'elle n'aurait jamais raté la cérémonie de son plein gré. C'était impossible. Il en était intimement persuadé.

Il lui était arrivé quelque chose.

51

Quand Éric, traînant péniblement Alvirah le long
du couloir, arriva sur le pont, Bille en Tête arracha
sa barbe et la fixa tant bien que mal sur la bouche
de sa prisonnière. Highbridge lui maintint les mains
derrière le dos et se servit de son bonnet de Père
Noël pour les lier. Éric la poussa alors par terre,
contre une cloison recouverte de filets et de matériel
de pêche. « Il faut que je m'en aille, dit-il. Je ne peux
pas être en retard pour la cérémonie. Je n'ai pas
envie qu'ils se lancent tous à ma recherche. Surveil-
lez-la bien », gronda-t-il entre ses dents. « Elle est
beaucoup trop curieuse. Et, par-dessus le marché,
c'est à cause d'elle que nous avons été forcés de
déménager de ma cabine. »

« Quel trouillard », pensa Alvirah avec mépris en le
regardant s'en aller. « Il ne veut pas me tuer. Il laisse
le boulot aux deux autres. »

Bille en Tête braqua son pistolet sur elle. « Si vous
êtes tellement curieuse, pouvez-vous me dire ce que
ce clown à la gomme de Crater fait sur ce bateau ?
Il est ici pour une raison qui n'a rien à voir avec la
charité. C'est lui qui a donné mon père aux flics.
Qu'est-ce qu'il mijote maintenant ?

— J'aimerais le savoir », murmura Alvirah à travers son bâillon.

« Je vous donne une minute pour réfléchir avant de vous descendre. »

Le ronronnement d'un hélicoptère les fit sursauter tous les trois.

« C'est peut-être la police ! » La voix de Highbridge était affolée. Tony et lui passèrent à l'action. Tandis qu'ils jetaient le canot à l'eau à l'arrière du bateau, Alvirah se tordait les mains frénétiquement. Elle sentit un sorte de crochet ou de pointe métallique contre son côté droit. Se déplaçant imperceptiblement, elle bougea juste assez pour y appuyer ses poignets. « Si je pouvais déchirer ce satané bonnet, pensa-t-elle. Il est fait d'un tissu mince, bon marché. » L'unique grelot tinta faiblement, mais Bille en Tête et Highbridge avaient trop à faire pour l'entendre.

Bille en Tête fourra une serviette de cuir dans un sac marin qu'il referma étroitement.

S'efforçant de rester calme, Alvirah frotta le bonnet d'avant en arrière sur le métal. À force d'obstination, elle parvint à le déchirer et à libérer ses mains.

Elle évalua la faible hauteur du bastingage. « Je peux y arriver, pensa-t-elle. Je dois y arriver. Pas question d'abandonner Willy. Il a encore besoin de moi. Le vrai problème est de me relever. Ça va me prendre tellement de temps que je risque de rater l'occasion de sauter. Mais il faut que j'essaye. »

Highbridge grimpa sur le garde-corps et s'assit face à la mer.

Alvirah vit Bille en Tête hisser le sac marin sur la lisse et Highbridge le tenir fermement d'une main.

Bille en Tête lui tendit un aviron. « Ne lâche rien. Surtout pas le sac. Je te suis dans un instant.

— Je suis particulièrement attentif quand il s'agit de mon argent », répondit Highbridge, puis il se laissa tomber dans l'eau.

Tony, son pistolet dans la main droite, le regarda faire.

Alvirah entendit un *plouf* sonore quand Highbridge toucha l'eau. L'œil rivé sur le sac, Tony s'assura que son complice le déposait dans le canot.

« C'est maintenant ou jamais », se dit Alvirah. Négligeant les douleurs dans ses genoux, elle se leva d'un bond, se précipita vers le garde-fou, l'escalada, et, sous le regard stupéfait de Bille en Tête, elle se pinça le nez et sauta. Avant de toucher l'eau, elle entendit une balle siffler à son oreille. « C'est passé près, pensa-t-elle, mais raté. »

Plongeant sous la surface, elle se mit à nager vers l'avant du bateau.

52

L'une des rares personnes à ne pas assister à la cérémonie était Bosley Brevers. Il était contrarié parce que sa conférence n'avait pas eu le succès escompté. Les gens qu'il espérait impressionner, cette fameuse auteur de romans à suspense et son mari, sa détective privée de fille et le mari de cette dernière, un gros bonnet de la police de New York, avaient quitté la salle ensemble. Ils avaient essayé d'être discrets, mais les voir partir l'avait déconcerté. Et ces deux femmes de son groupe, Maggie et Ivy, ne pouvaient visiblement pas supporter qu'on lui témoigne de l'attention. Elles avaient été les premières à s'en aller.

C'était franchement moche de leur part.

Il s'était retiré dans sa cabine, où il avait commandé un sandwich, puis il avait parcouru ses notes pour voir comment améliorer la seconde partie de sa conférence et la rendre plus intéressante. Il venait de poser son stylo quand il entendit le ronflement d'un hélicoptère s'approcher du bateau. Sortant sur son balcon privé pour jeter un coup d'œil, il se désintéressa rapidement de la question, rentra dans sa chambre et alluma la télévision. Il voulait savoir comment progressaient les recherches concernant le neveu de Louie Crochet du Gauche, le dénommé Tony Pinto. Si la police l'attrapait, cela apporterait un peu de piment à sa conférence du lendemain matin. Tandis qu'il cherchait la chaîne des informations, il entendit le faible écho d'*Amazing Grace*. Visiblement la cérémonie du Commodore avait commencé.

Une jeune et jolie journaliste apparut à l'écran. « Du nouveau ! disait-elle d'une voix tout excitée. Je vous ai parlé de la Croisière de Noël du *Royal Mermaid*, un bateau qui a appartenu à feu Angus "Mac" MacDuffie. Nous savons de source sûre que le père de MacDuffie avait jadis acheté un objet antique hors de prix dont il savait qu'il avait été volé dans un musée de Boston. Un coffret en argent repoussé ayant appartenu à Cléopâtre, d'une valeur inestimable. C'est la vérité, mes amis. Cléopâtre ! Ce matin, j'ai été en contact avec des personnes qui ont acheté des meubles et des journaux à la vente de la succession d'Angus MacDuffie. Dans un secrétaire, elles ont découvert un journal révélant que MacDuffie connaissait l'histoire du coffret. Aujourd'hui, après avoir compulsé des centaines de pages poussiéreuses de magazines et de correspondance, nous avons découvert une lettre que MacDuffie avait écrite à sa mère. Il lui raconte qu'il a caché le coffret volé dans un tiroir secret que lui-même a fait installer dans sa cabine afin que la preuve de la malhonnêteté de son père meure avec lui. Le Commodore va peut-être se lancer dans une chasse au trésor... »

Une reproduction du coffret apparut à l'écran.

Les yeux de Brevers s'écarquillèrent. Il avait été l'un des premiers à embarquer sur le bateau et il était allé dans la suite du Commodore pour lui déposer un livre dédicacé. Le Commodore l'avait invité dans son salon et ils avaient bavardé un court instant. Brevers avait remarqué une délicate boîte en argent dans une vitrine contre le mur et l'avait admirée. Le Commodore lui avait dit qu'elle contenait les cendres de sa mère.

« Serait-ce possible ? » se demanda Brevers, les questions se bousculant dans son esprit. Sans aucun doute, la boîte en argent du Commodore ressemblait à ce coffret si précieux qu'ils montraient à la télévision. Et il avait entendu dire ce matin que le Commodore jetterait par-dessus bord les cendres de sa mère...

Oubliant qu'il était pieds nus, Brevers sortit de sa cabine et s'élança au pas de course dans la coursive déserte, persuadé qu'il lui fallait empêcher que le coffret à bijoux de Cléopâtre ne disparaisse au fond des mers.

53

Les séparations sont toujours douloureuses, mais le temps était venu de prononcer un adieu affectueux à la meilleure mère qu'un garçon ait jamais eue. « Je suis tellement heureux que vous puissiez tous être à mes côtés pour partager ce tendre bien que cruel moment. » Le Commodore fit un signe de tête en direction de Gwendolyn et de Fredericka qui avancèrent d'un pas et commencèrent à chanter :

« *My Mommy lies over the ocean.* »

Le Commodore se tourna et marcha vers le bastingage, le coffret en argent à la main.

Alvirah retint sa respiration aussi longtemps qu'elle le put, ses poumons prêts à éclater, et dut remonter à la surface pour reprendre son souffle. « Cette eau ne me paraît franchement pas tropicale », pensa-t-elle. D'une main, elle saisit la barbe solidement attachée sur sa bouche et parvint à l'arracher. Haletante et gelée, elle jeta un regard par-dessus son épaule. « La seule chose qui les préoccupe désormais est de s'échapper, se dit-elle avec soulagement. Ils n'ont pas le temps de s'inquiéter de moi. »

Bien que le bateau fût stoppé, le courant le poussait légèrement en avant. La distance à parcourir pour atteindre la proue paraissait se creuser.

Son tailleur détrempé et ses sandales pesaient une tonne. Alvirah tenta de se débarrasser des sandales, mais l'effort la tira vers le fond. « Nage, pensa-t-elle. Reste à la surface et nage. »

Une vague vint lui frapper le visage, elle s'étrangla et avala de l'eau. Elle essaya d'appeler Willy. « Maintenant je suis sûre qu'il est inquiet. Mais il ne pensera pas à regarder par-dessus le bastingage. Oh, Willy, si ce maladroit de serveur n'avait pas renversé du chocolat chaud sur ta chemise, tu n'aurais pas été sous la douche quand j'ai aperçu ces types. »

Ses bras lui paraissaient lourds. Le bateau semblait s'éloigner. « On dit que votre vie tout entière défile en un éclair devant vous au moment de mourir, songea-t-elle. Pourtant la seule chose que je vois, c'est la façon dont le chocolat chaud a éclaboussé la chemise bleue de Willy. »

« Je t'aime, Willy. »

Levant un bras après l'autre, de plus en plus lentement, elle se força à continuer.

Tout arriva en un instant. Tandis que le Commodore passait d'un pas lent devant le fauteuil roulant de Crater, Brevers débaula sur le pont.

« Ne jetez pas cette boîte par-dessus bord ! cria-t-il. Elle vaut des millions ! »

Comme un pantin, Crater bondit hors de son fauteuil.

« Je me rapproche, je me rapproche », se répétait Alvirah. Ses bras semblaient de plomb. Elle avait de plus en plus de mal à faire pénétrer l'air dans ses poumons. Elle était parcourue de frissons. Elle était presque arrivée à l'avant du bateau, priant qu'il y ait des gens en haut pour la voir. Elle leva la tête et aperçut trois hommes qui se tenaient juste au-dessus d'elle. « Au secours ! » essaya-t-elle de crier, mais sa voix n'était qu'un murmure rauque.

Brusquement, au moment où elle espérait qu'ils l'avaient vue, les hommes s'écartèrent du bastingage.

La stupéfaction provoquée par le cri de Brevers fut suivie par la vision tout aussi effarante de Crater arrachant le coffret en argent des mains du Commodore.

Le moteur de l'hélicoptère se mit en marche, le rotor commença à tournoyer.

« Ce qui nous semblait louche est soudain parfaitement clair », pensa Regan, bondissant en même temps que Jack.

« C'est proprement ridicule », s'écria le Commodore tandis que Crater s'emparait de la boîte et, tel un joueur de football, la lançait à l'un des infirmiers qui l'attrapa et courut vers l'hélicoptère.

Fredericka, furieuse de voir sa chanson interrompue, tendit un pied en avant. L'infirmier trébucha, atterrit sur le pont avec un bruit sourd, et la boîte lui échappa. C'est alors que Regan, Jack, Luke, Willy et les dix Pères Noël entrèrent en action. Une mer de costumes rouges fondit sur Crater et entoura

273

l'infirmier à terre. Les deux autres infirmiers s'élancèrent vers le refuge de l'hélicoptère.

« Il s'en est fallu de peu », cria Jack quand Ted et lui eurent plaqués les deux hommes au sol.

Dans la mêlée qui s'ensuivit, le coffret en argent se trouva un instant abandonné sur le pont. Winston se précipita, le ramassa et fonça à son tour vers l'hélicoptère. Gwendolyn, toujours en compétition avec sa sœur et championne de course à l'école, le rattrapa. Elle plongea dans ses jambes et il s'étala, lui aussi, sur le pont. S'emparant de la boîte que Winston avait lâchée, Gwendolyn courut vers le bastingage et cria : « Ce n'est pas bien ! Le Commodore voulait que sa maman aille dans la mer maintenant et à cet endroit même. » Se mordant la langue, elle éleva le coffret au-dessus de sa tête et le jeta avec détermination aussi loin qu'elle le put par-dessus bord.

Regan s'élança vers le bastingage. « Oh, mon Dieu ! » s'écria-t-elle en regardant la boîte se diriger non seulement vers la mer, mais aussi vers la tête d'Alvirah. « Attention, Alvirah ! » hurla-t-elle, puis elle se retourna, jeta un coup d'œil autour d'elle, aperçut une bouée de sauvetage blanche accrochée à un crochet, la saisit, enjamba le bastingage et sauta.

« Regan ! hurla Nora.

— Attrapez cette boîte, cria Brevers. Elle n'a pas de prix ! »

Bien qu'épuisée, Alvirah qui avait toujours su la valeur d'un dollar tendit le bras et dans un effort extrême attrapa la boîte au vol au moment où elle allait toucher l'eau. Un instant plus tard, Regan poussait la bouée de sauvetage devant elle. « Accrochez-vous, Alvirah », ordonna-t-elle.

Alvirah lui tendit la boîte, puis passa ses bras par-dessus la bouée de sauvetage sur laquelle était inscrit, en lettres capitales : CROISIÈRE DE NOËL.

Elle s'efforça de plaisanter : « Voilà ce que je récolte en récompense de mes dons aux bonnes œuvres », dit-elle, cherchant à retrouver son souffle. « Je vous avais bien dit que cette traversée serait excitante. » Ses bras étaient tellement engourdis et glacés qu'elle se sentit glisser. « Je ne sais pas si je vais y arriver... »

Un bras puissant lui encercla la poitrine « Je vous tiens, Alvirah, dit Jack.

— Vous ne me laissez jamais tomber, vous deux, souffla-t-elle. Comment va Willy ?

— Il ira beaucoup mieux quand nous vous aurons ramenée à bord », répondit Jack.

Alvirah était au bord de l'évanouissement. « Autre chose », murmura-t-elle d'un ton pressant. « Tony Pinto et Highbridge sont dans un canot pneumatique, à l'arrière du bateau. Ils essayent de s'enfuir. Éric est leur complice. »

Maintenant qu'elle était entre les mains de ses bons amis et sûre que la justice serait rendue, Alvirah s'autorisa à tomber dans les pommes.

54

Vendredi 30 décembre

Trois jours plus tard, les passagers de la Croisière de Noël, moins les criminels qui s'étaient introduits à bord, regagnaient le port de Miami.

Alvirah et Willy, Regan et Jack, Luke et Nora, Ivy, Maggie, Ted Cannon, Bosley Brevers, plus Gwendolyn et Fredericka accompagnées par leurs généreux parents, se trouvaient rassemblés dans la suite du Commodore pour lui dire au revoir. Dudley et le Dr Gephardt s'étaient joints à eux.

Le Commodore contempla la vitrine où reposaient à nouveau les cendres de sa mère. Elles étaient enfermées dans l'urne originale, qu'il avait conservée. Les policiers, qui avaient fouillé le bateau pendant une heure après la mêlée, patrouillaient depuis un certain temps dans les parages, à la recherche d'une éventuelle opération de traffic de drogue. On leur avait refilé une fausse piste et ils étaient sur le point de regagner Miami quand ils avaient reçu l'appel provenant du *Royal Mermaid*. Outre la collection de criminels et leurs complices, ils avaient pris aussi en charge le coffret à bijoux de Cléopâtre. Prêté au musée de Boston où il avait été volé, cet objet d'antiquité serait bientôt rendu à l'Égypte.

« Je garderai ma mère avec moi jusqu'à la prochaine croisière, répéta le Commodore pour la énième fois depuis soixante-douze heures. Manifestement, elle n'avait pas envie de partir tout de suite. » Il secoua la tête. « Ma mère ne s'est jamais très bien entendue avec Éric. Et, pour être franc, j'ai eu beau faire des efforts, moi non plus. J'ai été profondément blessé lorsque je me suis aperçu qu'il me trahissait. Un bon séjour en prison ne lui fera pas de mal, il se repentira de sa conduite. Mais comment croire que mon ex-femme, Reeney, envers laquelle je me suis montré si généreux, ait organisé le vol du coffret, allant même jusqu'à placer Winston à mon service ? C'est franchement vexant ! Je savais qu'elle aimait les antiquités, mais de là à penser que, depuis des années, elle était le cerveau d'un gang qui achetait et revendait des pièces volées ! C'est insensé. Elle n'a pas cillé quand je lui ai montré ce coffret en argent en lui expliquant que je l'avais trouvé par hasard dans ma suite en fouillant dans un petit meuble muni d'un tiroir secret. Elle a dit que c'était une mignonne petite boîte. "Mignonne" ! elle a dit qu'elle était "mignonne" ! »

Fredericka passa ses bras autour du cou du Commodore, interrompant un récit qui désormais était familier à tous. « Ne soyez pas triste, oncle Randolph. Nous sommes votre famille à présent.

— Pour toujours ! cria Gwendolyn.

— Je le sais », dit le Commodore d'une voix tremblante.

Alvirah crut voir le tendre regard qu'il échangeait avec Ivy. Elle remarqua aussi les doigts entrelacés de Maggie et de Ted, assis côte à côte sur le canapé.

« Ce bateau est devenu le Bateau de l'Amour »,
pensa-t-elle, souriant en son for intérieur.

Dudley prit la parole avant que le Commodore
puisse reprendre son discours. Il leva son verre. « Je
propose de porter un toast. À vous tous, grâce à qui
cette croisière est devenue un événement très particulier, mémorable... », commença-t-il.

Willy regarda Alvirah. « Mémorable ? marmonna-
t-il. Il plaisante ou quoi ?

— Je crains que non », répondit Alvirah en souriant à son mari, l'homme avec qui elle vivait depuis
quarante-trois ans. Il ne l'avait pas quittée d'une
semelle depuis qu'on l'avait repêchée trois jours
auparavant.

« C'est bien ce que j'ai dit, reprit Dudley en riant.
Une croisière mémorable. Mémorable mais merveilleuse. Car ce fut merveilleux de vous avoir tous
comme amis. Je suis certain que le Commodore sou-
haitera, tout comme moi, que vous soyez à jamais
nos invités à bord du *Royal Mermaid*. »

« Et le voilà qui continue, pensa le Commodore
avec amusement. Distribuant ce qui n'est pas à lui. »

« Mais décidez-vous vite, continua Dudley. Avec
tous ces événements, les réservations pleuvent. Nos
quatre premières croisières sont déjà complètes. »

Regan surprit l'expression qui se peignait sur le
visage de son père. Elle sourit. Elle savait ce qu'il
pensait. « Une vraie chance pour nous. » Elle se
tourna vers Jack. Il lui adressa un clin d'œil. Lui aussi
pensait exactement la même chose. « Nous avons de
la chance, songea-t-elle. De la chance dans bien des
domaines. »

278

Vingt minutes plus tard, ils se tenaient sur le pont ensoleillé tandis que le bateau-pilote les guidait jusqu'au quai. Bianca Garcia, rayonnante, accueillit la Croisière de Noël, une croisière qui l'avait propulsée sur la scène des informations nationales. Sa chaîne avait engagé un petit orchestre. Quand le bateau glissa le long du quai avant de s'amarrer, l'orchestre se mit à jouer : « Ce n'est qu'un au revoir, mes frères. »

Les passagers, dont tous garderaient le souvenir d'un voyage inoubliable, se joignirent à la chanson.

« Oui, nous nous reverrons mes frères... »

La Croisière de Noël était terminée – et une nouvelle année commençait.

REMERCIEMENTS

Le bateau est maintenant à quai. Que soient remerciés tout particulièrement ceux qui ont embarqué avec nous à bord de la Croisière de Noël. Nos éditeurs, Michael Korda et Roz Lippel. Nos agents, Sam Pinkus et Esther Newberg. Notre attachée de presse Lisl Cade. Notre directrice littéraire, Gypsy da Silva. Merci à Sigal Miller de Mahwah, New Jersey, qui nous a suggéré notre titre, *La Croisière de Noël*. Bravo, Sigal ! Et merci naturellement à nos familles et amis qui nous ont souhaité bon voyage et accueillies à notre retour. Un tendre salut à John Conheeney, le parfait équipier comme toujours. Enfin, à tous nos lecteurs... jusqu'à la prochaine fois... Levez l'ancre !

Achevé d'imprimer par GGP Media GmbH, Pößneck
en août 2007
pour le compte de France Loisirs,
Paris

Nᵒ d'éditeur : 49636
Dépôt légal : septembre 2007

Imprimé en Allemagne